2025
年度版

中小企業診断士

最速合格
のための
第1次試験
過去

JN052248

⑥ 経営法務

TAC中小企業診断士講座

TAC出版
TAC PUBLISHING Group

はじめに

日本中小企業診断士協会連合会の発表によれば、令和6年度までの過去5年間の第1次試験の各科目の「科目合格者」等の平均値は次のようになっています。

	科目受験者数（①）	科目合格者数（②）	科目合格率（①／②）
経済学・経済政策	15,086	2,371	15.7%
財務・会計	15,251	2,352	15.4%
企業経営理論	14,884	3,993	26.8%
運営管理（オペレーション・マネジメント）	15,033	2,484	16.5%
経営法務	14,959	2,786	18.6%
経営情報システム	14,704	2,373	16.1%
中小企業経営・中小企業政策	15,761	1,910	12.1%

　科目ごとに、科目合格者数および科目合格率は異なりますが、いずれにしても、「科目合格者」の存在は、同時に「科目不合格者」を生じさせる結果となっています。

　初学者はもちろんのこと、不合格科目を残した受験経験者にとって、第1次試験の合格を果たすには、各科目の出題傾向を把握し、その対策を立てるということが必要となります。

　受験生の皆さんは、次の言葉を一度は耳にしたことがあると思います。

> 知彼知己者　百戦不殆（彼を知り己を知れば、百戦して殆からず）

　これは「孫子（謀攻篇）」にある名文句ですが、前段の「彼を知(り)る」ためには、これまでの受験生が戦ってきた「過去問」を活用することが必要です。

　戦う相手を研究して熟知することは、スポーツや企業活動などの「戦いの場」では当然必要だ、ということはよくご理解いただけると思います。これは試験においても同様で、戦う相手である「試験委員」が作成した「問題」の研究は、勝つためには必要不可欠な作業だと考えてください。

　また、「過去問」の活用目的として「己を知る」ということがあります。本試験の出題傾向や内容は極端に変化するものではありません。ですから、受験生の皆さんが常日頃取り組まれている学習の成果を測定するためのひとつの手段として「過去問」

を活用し、その成果をさらなる実力向上につなげていくことが必要であると理解してください。

先程引用した「孫子」の名文句の後には「不知彼不知己　毎戰必殆（彼を知らず己を知らざれば、戦う毎に必ず殆し）」という文が続いています。受験生の皆さんが取り組む戦いでこのような事態にならないように、相手である「本試験（過去問）」をよく研究し、さらに、普段の学習成果の目安として「過去問」を役立てていただければ、本試験での「勝利」は間違いないと確信しています。

2024 年 10 月
ＴＡＣ中小企業診断士講座
講師室、事務局スタッフ一同

本書の利用方法

本書には、過去 5 年分の第 1 次試験の問題と詳細な解説を収載しています。

1．本書の問題には、学習における目安として、以下のマークを付していますので、参考としてください。

　★ 重要 ★　基本的な論点だったり、過去に繰り返し出題されたりするなど、重要度の高い問題です。過去問はひと通り解くことが望ましいですが、時間的に余裕のない方は、このマークのある問題を優先的に解くとよいでしょう。

　参考問題　出題年度以降に法律や制度改正があり、正解肢が変わったり、なくなったりした問題等を示しています。これらの問題は、今年度の第 1 次試験対策としてふさわしくない問題となりますので、出題形式や出題論点を確認する程度の利用にとどめていただければよいでしょう。

2．各年度の解説の冒頭に、解答・配点・ＴＡＣデータリサーチによる正答率の一覧表を載せています。学習の際の参考としてください。

3．巻末に、「出題傾向分析表」を載せています。出題領域の区分は、弊社刊の「最速合格のためのスピードテキスト」の章立てに対応しているので、復習する際に便利です。

中小企業診断士 第1次試験
経営法務

▶目　次◀

令和 6 年度 問題

uestions

令和 6 年度 問題

第1問

会社法が定める監査等委員会設置会社に関する記述として、最も適切なものはどれか。

ア　監査等委員会設置会社における取締役会は、執行役の中から代表執行役を選定しなければならず、執行役が1人のときは、その者が代表執行役になる。

イ　監査等委員会設置会社は、大会社であるか否かにかかわらず、会計監査人を設置しなければならない。

ウ　公開会社である監査等委員会設置会社においては、監査等委員である取締役を3人以上選任しなければならないが、公開会社ではない監査等委員会設置会社においては、監査等委員である取締役を1人選任すればよい。

エ　公開会社である監査等委員会設置会社においては、監査等委員の過半数は社外取締役でなければならないが、公開会社ではない監査等委員会設置会社においては、社外取締役である監査等委員を選任する必要はない。

第2問

会社法が定める監査役および監査役会に関する記述として、最も適切なものはどれか。

ア　監査役会設置会社においては、監査役の中から常勤の監査役を選定しなければならないが、社外監査役を常勤の監査役とすることもできる。

イ　監査役会設置会社においては、監査役を3人以上選任しなければならず、その選任人数にかかわらず、そのうち過半数は社外監査役でなければならない。

ウ　監査役の報酬は、定款にその額を定めることはできず、株主総会の決議によって定めなければならない。

エ　監査役を株主総会決議によって解任する場合、その株主総会決議は特別決議によらなければならず、かつ、その解任について正当な理由がなければならない。

第3問　★重要★

下表は、会社法が定める公開会社である取締役会設置会社における少数株主権の議決権数および継続保有期間をまとめたものである。表の中の空欄A〜D

に入る数値の組み合わせとして、最も適切なものを下記の解答群から選べ。

なお、本問においては、定款において特段の定めはないものとする。

	議決権数	継続保有期間
株主提案権	総株主の議決権の A %以上または300個以上の議決権	B カ月間
株主による株主総会の招集請求権	総株主の議決権の C %以上の議決権	D カ月間

[解答群]

ア　A：1　　B：6　　C：1　　D：3

イ　A：1　　B：6　　C：3　　D：6

ウ　A：3　　B：3　　C：5　　D：3

エ　A：3　　B：6　　C：3　　D：6

第4問

会社法が定める剰余金配当に関する記述として、最も適切なものはどれか。

なお、本問においては、中間配当は考慮しないものとし、取締役の任期は2年とする。また、定款において特段の定めはないものとする。

ア　株式会社が剰余金配当をする場合、株主総会の決議によらなければならない。

イ　最低資本金制度が撤廃されたため、株式会社は、純資産額が300万円を下回る場合であっても、剰余金配当をすることができる。

ウ　剰余金の配当が分配可能額を超えてなされたとしても、当該配当を受けた株主が、株式会社に対して、その帳簿価額に相当する金銭を支払う義務を負うことはない。

エ　剰余金配当における配当財産は、金銭でなければならず、金銭以外の財産を配当財産とすることはできない。

第5問

会社法が定める社債に関する記述として、最も適切なものはどれか。

なお、本問における株式会社は、取締役会設置会社であり、定款において特段の定めはないものとする。

ア　株式会社における社債の募集事項の決定は、公開会社である場合には、株主総会の決議事項であるが、公開会社ではない会社の場合は、取締役会の決議事項である。

イ　社債権者が社債権者集会の目的である事項を提案した場合において、当該提案につき議決権者の全員が書面または電磁的記録により同意の意思表示をしたときは、当該提案を可決する旨の社債権者集会の決議があったものとみなされる。

ウ　社債は、株式会社および合同会社においては発行することができるが、合名会社は発行することはできない。

エ　社債を発行する場合、会社は、必ず、当該社債に係る社債券を発行しなければならない。

第6問　★重要★

定款の記載事項は、絶対的記載事項（定款に必ず記載または記録しなければならない事項であって、これを記載または記録しないときには定款自体が無効となるもの）、相対的記載事項（定款で定めないとその事項の効力が認められないもの）、任意的記載事項（定款に記載せずに他の方法で定めても有効であるにもかかわらず、会社の意思で定款に記載する事項）に分類される。

次の事項のうち、株式会社の定款における絶対的記載事項ではないものの組み合わせとして、最も適切なものを下記の解答群から選べ。

a　本店の所在地

b　設立に際して出資される財産の価額またはその最低額

c　発起人の氏名または名称および住所

d　取締役の員数

e　定時株主総会の招集時期

[解答群]
ア　aとc　　イ　bとd　　ウ　bとe　　エ　dとe

第7問

以下の会話は、X株式会社（以下「X社」という。）の株主兼代表取締役である甲氏と、中小企業診断士であるあなたとの間で行われたものである。この会話を読んで、下記の設問に答えよ。

なお、X社は種類株式発行会社ではなく、定款に特段の定めはない。また、

X社とY株式会社（以下「Y社」という。）との間に資本関係はない。

甲　氏：「私も今年で70歳を超え、X社の経営をしていくのが大変になってきたので、X社の経営を他の人に譲ろうと思っています。知人に聞いたところ、Y社が、X社の事業に興味を持っているということで、X社の株式を買ってもよいということでした。X社の株式をY社に売却するに当たって、どのようなことを準備しておくとよいのでしょうか。」

あなた：「他人の名義を用いて株式の引き受けや取得をしていた場合には、その名義株主と実質的な株主との間で、株主がどちらであるかということが争いになる場合があります。このため、もし、そのような事情がある場合には、実質的な株主と名義株主との間で合意書を締結し、株主がどちらであるのかを確認しておくことが必要です。」

甲　氏：「分かりました。X社の株式は、私の他に株主名簿に記載された人が出資をして株式を引き受けていますので、名義株主はいなかったと思いますが、改めて確認します。ところで、X社の株式は、私が大半を持っていますが、それ以外にも株主がいます。Y社に株式を譲渡するにあたって、私以外の株主の大部分はY社に株式を譲渡することに同意してもらえますが、一部の株主はY社への株式譲渡に応じない可能性があります。Y社にX社の株式の全部を譲渡するために何か方法はありますか。」

あなた：「甲氏は、X社の株式をどれくらい持っているのでしょうか。」

甲　氏：「私は、X社の　　Ａ　　の　　Ｂ　　以上を持っています。」

あなた：「そうであれば、甲氏は、X社の特別支配株主になりますので、X社の株主の全員に対し、その有するX社の株式の全部を自分に売り渡すことを請求することができ、所定の手続をとることにより、甲氏が、X社の株式の全部を取得することができます。そのうえで、Y社に株式を譲渡することが考えられます。」

甲　氏：「分かりました。ところで、X社の株式をY社に譲渡する以外の方法で、Y社にX社の事業を引き継ぐ方法はありますか。」

あなた：「例えば、X社の事業の全部をY社に事業譲渡する方法や、Y社がX社を吸収合併する方法があります。」

甲　氏：「事業の全部をY社に事業譲渡する場合、X社では、どのような手続きが必要となるのでしょうか。」

あなた：「その場合は、原則として、X社で株主総会の特別決議が必要になります。」

甲　氏：「知人からは、会社法では、債権者異議手続や反対する株主から株式を買い

　　　　　　　取る手続きが定められていると聞いたのですが、この点はどうでしょうか。」

あなた：「ご質問の事業を全部譲渡する場合、X社において、　　C　　。X社の反対株
　　　　　主には、　D　　。」

甲　　氏：「ありがとうございます。進展があったらまた相談します。」

あなた：「必要であれば、事業承継に詳しい弁護士を紹介しますので、いつでも相談
　　　　　してください。」

設問1 ● ● ●

　会話の中の空欄AとBに入る語句の組み合わせとして、最も適切なものは
どれか。

ア　A：総株主の議決権　　　B：5分の4
イ　A：総株主の議決権　　　B：10分の9
ウ　A：発行済株式総数　　　B：3分の2
エ　A：発行済株式総数　　　B：5分の4

設問2 ● ● ●

　会話の中の空欄CとDに入る語句の組み合わせとして、最も適切なものは
どれか。

ア　C：債権者異議手続が必要となります
　　D：いかなる場合でも株式買取請求権は認められていません
イ　C：債権者異議手続が必要となります
　　D：株式買取請求権が認められていますが、事業譲渡の承認決議と同時に解散
　　　　の決議をする場合には、株式買取請求権は発生しません
ウ　C：債権者異議手続は不要です
　　D：いかなる場合でも株式買取請求権は認められていません
エ　C：債権者異議手続は不要です
　　D：株式買取請求権が認められていますが、事業譲渡の承認決議と同時に解散
　　　　の決議をする場合には、株式買取請求権は発生しません

第8問

　会社法が定める株式の併合と株式の分割に関する記述として、最も適切なも
のはどれか。

なお、本問における株式会社は取締役会設置会社であり、種類株式発行会社ではないものとする。

ア　株式の併合および株式の分割を行う場合、いずれも、株主総会の特別決議による承認が必要となる。

イ　株式の併合には反対株主の株式買取請求権が定められているが、株式の分割には反対株主の株式買取請求権は定められていない。

ウ　発行可能株式総数が100株であって、発行済株式総数が50株の株式会社が、1株を10株とする株式の分割をする場合において、発行可能株式総数を600株とするときの定款変更は、必ず株主総会決議の承認を得なければならない。

エ　発行可能株式総数が900株、発行済株式総数が300株の株式会社が、2株を1株に株式併合する場合、当該会社が公開会社であっても、効力発生日における発行可能株式総数を変更する必要はない。

第9問

　独占禁止法が定める課徴金および課徴金減免制度に関する記述として、最も適切なものはどれか。

　なお、本問においては、調査協力減算制度における協力度合いに応じた減算率は考慮しないものとする。

ア　違反行為者が中小企業の場合において、中小企業が当該違反行為について主導的役割を果たしていないときは、大企業に対する課徴金算定率から、資本金の割合に応じた減額が認められる。

イ　課徴金減免制度における申請は、電子メールによる方法に限られる。

ウ　公正取引委員会による調査開始後に単独で課徴金減免申請を行い、その申請順位が1位の場合、申請順位に応じた課徴金減免率は100％（全額免除）である。

エ　再販売価格の拘束行為が、課徴金の対象行為となることはない。

第10問

　特許法に関する記述として、最も適切なものはどれか。

ア　特許異議の申立ては、特許掲載公報の発行の日から1年以内に限り行うことができる旨が、特許法に規定されている。

イ　特許異議の申立ては何人も行うことができる旨が、特許法に規定されている。

ウ　特許権を消滅させる制度として特許異議の申立てが設けられているため、特許無効審判の制度は特許法には設けられていない。

エ　発明の単一性の規定に違反している特許に対して、これを理由として特許異議の申立てを行うことができる旨が、特許法に規定されている。

第11問　★重要★

産業財産権に関する法律についての記述として、最も適切なものはどれか。

ア　意匠法には、不実施の場合の通常実施権の設定の裁定の制度が設けられている。

イ　実用新案登録出願は、出願日から1年6カ月を経過した後に出願公開される。

ウ　商標登録出願を意匠登録出願に変更することはできない。

エ　特許出願人以外の者は、特許出願について出願審査の請求をすることができない。

第12問　★重要★

以下の会話は、食品会社の社長である甲氏と、中小企業診断士であるあなたとの間で行われたものである。この会話の中の空欄AとBに入る語句の組み合わせとして、最も適切なものを下記の解答群から選べ。

甲　氏：「わが社の研究開発室では、日々、お客様にお喜びいただけるソースなどの開発を行っています。

　　　　　このたび、新製品として画期的なパスタソースを開発しました。辛みと甘みが相まって、とろけるようなクリーミーな味です。特許出願しようと思うのですが、特許出願すると、パスタソースの製法が公になってしまうのですか。」

あなた：「はい。特許出願すると、原則として、特許出願の日から　 A 　を経過したときは出願公開されてしまいます。」

甲　氏：「では、特許出願をせずに秘密のままとする場合、その秘密を保護する法律はありますか。」

あなた：「営業秘密を保護する法律として、不正競争防止法があります。この法律では、営業秘密を『秘密として管理されている生産方法、販売方法その他の事業活動に有用な技術上又は営業上の情報であって、　 B 　をいう』と規定しています。

　　　　　詳しいことをお知りになりたいときは、ご専門の先生をご紹介します。」

第13問

　　以下の会話は、レストランを立ち上げる予定の甲氏と、中小企業診断士であるあなたとの間で行われたものである。この会話の中の空欄①と②には、あなたの発言としてa～fの記述のいずれかが入る。各空欄に該当する記述の組み合わせとして、最も適切なものを下記の解答群から選べ。

甲　氏：「うちのシンボルとして、鳥が飛び立って着地し、これと同時にうちの店名を表す文字が現れる10秒くらいの動きを、商標として登録することはできますか。」

あなた：「　①　。」

　　a　商標登録できるのは静止した商標のみであり、動いているものは商標登録できません

　　b　文字を含んだ動き商標を登録することは、制度上認められています

　　c　文字を含んだ動き商標は商標として登録できませんが、文字を含まない形での鳥の動きであれば、動き商標として登録できます

甲　氏：「私が製作したオリジナルの女の子の人形を店の前に設置します。この人形の胴体には店名が入っています。これを商標登録することはできますか。」

あなた：「　②　。」

　　d　商標は平面的なものに限られるので、人形のような立体的形状は商標登録の対象とはなりません

　　e　人形のような立体的形状は商標登録の対象になります。文字を含んだ立体商標を登録することも、制度上認められています

　　f　文字を含んだ立体商標は登録できませんが、文字を含まない形での立体

10

商標であれば、登録できます

[解答群]
ア　①：a　　②：d
イ　①：b　　②：e
ウ　①：c　　②：e
エ　①：c　　②：f

第14問

　出版社を立ち上げる予定の甲氏は、中小企業診断士であるあなたに、以下の
２つの質問を列挙した用紙を見せた。あなたはそれに口頭で答えている。空欄
①と②には、あなたの回答としてa～dの記述のいずれかが入る。各空欄に該
当する記述の組み合わせとして、最も適切なものを下記の解答群から選べ。

質問1
　紙製の本だけでなく、電子書籍の制作も行う予定です。うちの社名「○○○○○」
を「電子書籍の制作」というような役務で商標登録できるでしょうか。

あなた：「　①　。」

　　　　a 「紙媒体の書籍の制作」は商標法上の役務に該当しますが、電子書籍のよ
　　　　　うなデータを制作することは、商標法上の役務に該当しないため、「電子
　　　　　書籍の制作」という役務について商標登録することはできません
　　　　b 「電子書籍の制作」というような役務について商標登録することは可能で
　　　　　す

質問2
　電子化した雑誌も発行する予定です。電子化した雑誌のタイトルは商標登録の対
象となりますか。

あなた：「　②　。」

　　　　c 「紙媒体の雑誌」は商標法上の商品に該当しますが、電子化した雑誌は商
　　　　　標法上の商品に該当しません。したがって、そのタイトルは商標登録の対
　　　　　象となり得ません
　　　　d 「電子化した雑誌」は商標法上の商品に該当します。したがって、そのタ
　　　　　イトルも商標登録の対象となり得ます

第15問　★重要★

　喫茶店を立ち上げる予定の甲氏は、中小企業診断士であるあなたに、以下の2つの質問をしている。空欄①と②には、あなたの回答としてa〜dの記述のいずれかが入る。各空欄に該当する記述の組み合わせとして、最も適切なものを下記の解答群から選べ。

質問1

甲　氏：「喫茶店のある商店街の様子を撮影した動画を作成します。しかし、この商店街で流れている音楽が動画に録り込まれるかも知れません。著作権法上問題がありますか。

　　　　　例えば、部屋を撮影し、背景に画家の絵が写り込んでいても、著作権侵害にならないことがある、と聞きました。これと同じ趣旨で、動画にたまたま音楽が録り込まれた場合でも、著作権侵害にならないことがありますか。」

あなた：「いわゆる写り込みに関する著作権法第30条の2の規定ですね。　①　。」

　　　　a　この規定は動画に録り込まれた音楽には適用されません

　　　　b　この規定は動画に録り込まれた音楽にも適用され得ます。著作権侵害とはならない要件が規定されているので、それを検討する必要があります

質問2

甲　氏：「店舗の内装は斬新なものとしました。壁、天井、机、椅子などを木目調で統一し、配置にも工夫を凝らしています。このような内装はデザインなので意匠登録できますか。また、建物の外観も特徴がありますが、これも意匠登録の対象となりますか。」

あなた：「　②　。」

　　　　c　店舗の内装は意匠登録の対象とはなり得ますが、建物の外観は意匠登録の対象とはなり得ません

d　店舗の内装および建物の外観は意匠登録の対象となり得ます

［解答群］
ア　①：a　　②：c
イ　①：a　　②：d
ウ　①：b　　②：c
エ　①：b　　②：d

第16問

工業所有権の保護に関するパリ条約に関する記述として、最も適切なものはどれか。

ア　同盟国の間で締結された多数国間の条約により正規の国内出願とされるすべての出願は、優先権を生じさせるものと認められることが、パリ条約に規定されている。

イ　同盟に属しない国の国民は、いずれかの同盟国の領域内に住所または現実かつ真正の工業上若しくは商業上の営業所を有する場合であっても、同盟国の国民とはみなされない。

ウ　パリ条約は、原産地表示を保護対象として掲げていない。

エ　優先権主張の優先期間は、意匠および商標については、特許および実用新案と同様、12カ月であることがパリ条約に規定されている。

第17問

特許法上の職務発明に関する記述として、最も適切なものはどれか。

ア　従業者がした職務発明についての特許を受ける権利は、契約、勤務規則などにおいて特に定めがなければ、その発生時から使用者に原始的に帰属する。

イ　従業者がした発明は、その性質上使用者の業務範囲に属する発明であれば、特許法上の「職務発明」に該当する。

ウ　従業者は、職務発明について使用者に特許を受ける権利を取得させた場合には、特許法の規定により相当の利益を受ける権利を有するところ、この相当の利益は金銭で直接支払われる必要があり、ストックオプションの付与により相当の利益を与えることはできない。

エ　職務発明については、特許法の明文の規定に基づき、契約、勤務規則その他の定

めに基づいて相当の利益を与えることの不合理性の判断に関する考慮事項につい
て、指針（ガイドライン）が公表されている。

第18問

商標法に関する記述として、最も適切なものはどれか。

ア　商標権者は、その商標権について専用使用権を設定することができ、その効力の
　　発生に登録は不要である。

イ　商標権について通常使用権が許諾された後、その商標権が第三者に譲渡された場
　　合において、通常使用権者が商標権の譲受人に対して通常使用権を対抗するために
　　は、通常使用権の登録が必要である。

ウ　商標権の通常使用権の移転については、登録が効力発生要件とされている。

エ　当事者間の契約により商標権を譲渡する場合、商標権の移転の効力は当事者の合
　　意によって生じるが、その移転の効力を第三者に対抗するためには、登録が必要で
　　ある。

第19問

次の条項は、日本企業と外国企業との間で締結された英文契約において規定
されていたものである。空欄に入る語句として、最も適切なものを下記の解答
群から選べ。

Article XX　　　[　　　　]

If any provision of this Agreement shall be held to be invalid, illegal or
unenforceable, such provision shall be ineffective only to the extent of such
invalidity, illegality or unenforceability, and the validity, legality and enforceability
of the remaining provisions shall not in any way be affected or impaired thereby.

[解答群]

ア　Entire Agreement

イ　Force Majeure

ウ　No Waiver

エ　Severability

第20問

　民法が定める売買契約の契約不適合責任に関する記述として、最も適切なものはどれか。

ア　売主が種類または品質に関して売買契約の内容に適合しない目的物を買主に引き渡した場合、買主は、追完請求、損害賠償請求および契約の解除をすることができるが、代金の減額請求については、民法に明文の規定はない。

イ　買主が売買の目的物の数量に関して売主の契約不適合責任を追及する場合、買主は、その不適合を知った時から1年以内に、その旨を売主に通知しなければならない。

ウ　引き渡された目的物が種類、品質または数量に関して売買契約の内容に適合しない場合について、売主が契約不適合責任を負わない旨の特約も可能であるが、かかる特約が存在する場合であっても、売主が知りながら告げなかった事実については責任を免れることができない。

エ　引き渡された目的物が種類、品質または数量に関して売買契約の内容に適合しないものであるときは、買主は、売主に対し、履行の追完を請求することができるが、売主は、買主が請求した追完方法が売主に不相当な負担を課するものであるときは、買主が請求した方法と異なる方法により履行の追完をすることができる。

第21問

　売買契約における手付に関する記述として、最も適切なものはどれか。

ア　手付が違約手付の趣旨で交付された場合、証約手付の性質はない。

イ　手付が解約手付の効力を有する場合、売主は、買主に対し、口頭により手付の倍額を償還する旨を告げその受領を催告することにより、売買契約を解除することができる。

ウ　手付が解約手付の効力を有する場合、買主はその手付を放棄し、契約の解除をすることができるが、売主が契約の履行に着手した後は、この限りでない。

エ　手付が損害賠償額の予定としての効力を有する場合、解約手付の効力を有することはない。

第22問

　不当景品類及び不当表示防止法（以下「景表法」という。）に関する記述として、最も適切なものはどれか。

ア　景表法第5条第1号に規定するいわゆる優良誤認表示とは、商品・役務の価格その他の取引条件についての不当表示を意味する。

イ　広告であるにもかかわらず広告であることを隠すこと（いわゆるステルスマーケティング）は、景表法の規制対象に含まれている。

ウ　口頭でのセールストークは、景表法上の「表示」に含まれない。

エ　不動産の取引に関する広告については、取引の申出に係る不動産が存在すれば、実際には取引する意思がなかったとしても、景表法違反にはならない。

第23問

消費者契約法に関する記述として、最も適切なものはどれか。

ア　事業者の軽過失に起因する債務不履行により消費者に生じた損害を賠償する責任の全部を免除する消費者契約の条項は、消費者契約法上、有効である。

イ　事業者の債務不履行により生じた消費者の解除権につき、当該事業者にその解除権の有無を決定する権限を付与する消費者契約の条項は、消費者契約法により無効となる。

ウ　事業者の重過失に起因する債務不履行により消費者に生じた損害を賠償する責任の一部を免除する消費者契約の条項は、消費者契約法上、有効である。

エ　消費者契約の解除に伴う損害賠償の額を予定し、または違約金を定める消費者契約の条項は、その全体が消費者契約法により無効となる。

第24問

民法上の不法行為に関する記述として、最も適切なものはどれか。

ア　慰謝料請求権は、身体または自由が侵害された場合には認められるが、財産権または名誉が侵害された場合には認められない。

イ　被用者が使用者の事業の執行について第三者に損害を加えた場合において、使用者が当該第三者に対して使用者責任を負うときは、被用者は当該第三者に対して不法行為責任を負わない。

ウ　不法行為に基づく損害賠償債務は、被害者による催告を要することなく、当然に遅滞に陥る。

エ　不法行為に基づく損害賠償請求権は、不法行為の時から10年間行使しないときは、時効によって消滅する。

令和 **6** 年度
解答・解説

nswers

令和 **6** 年度 解答

問題	解答	配点	正答率※	問題	解答	配点	正答率※	問題	解答	配点	正答率※
第1問	イ	4	B	第9問	イ	4	E	第18問	イ	4	D
第2問	ア	4	E	第10問	イ	4	B	第19問	エ	4	E
第3問	イ	4	B	第11問	ウ	4	B	第20問	ウ	4	D
第4問	ア	4	C	第12問	ア	4	A	第21問	ウ	4	B
第5問	イ	4	B	第13問	イ	4	A	第22問	イ	4	B
第6問	エ	4	A	第14問	エ	4	A	第23問	イ	4	B
第7問 (設問1)	イ	4	C	第15問	エ	4	B	第24問	ウ	4	D
第7問 (設問2)	エ	4	C	第16問	ア	4	B				
第8問	イ	4	C	第17問	エ	4	D				

※TACデータリサーチによる正答率
　正答率の高かったものから順に、Ａ～Ｅの５段階で表示。
Ａ：正答率80％以上　　　　　Ｂ：正答率60％以上80％未満　　　Ｃ：正答率40％以上60％未満
Ｄ：正答率20％以上40％未満　Ｅ：正答率20％未満

※解答・配点は一般社団法人日本中小企業診断士協会連合会の発表に基づくものです。

【解　説】

　令和6年度の経営法務は、ボリューム面に着目すると、総問題数は令和5年度と変わらず25問の出題となった。25問という出題数は、平成29年度から、8年連続である。問題文の分量は22ページと減少した（令和5年度は、総頁数26ページ）。全体の難易度は、令和4・5年度に比べ難しく、令和3年度以前の難易度に戻った印象である。

　領域別に見ると、会社法が9問、知的財産権法が9問であり、この2領域が経営法務で大きなウェイトを占めている傾向は変わらない。民法からの出題数は3問で、債権法分野のみからであり、相続の出題がされなかったのは、平成25年度以来、11年ぶりであった。

　国際取引からは、英文契約書の出題が1問であったが、問題文および解答群がすべて英文であり、難易度は高かった。独占禁止法から1問の出題で、課徴金制度が2年連続で出題された。倒産法制からの出題はなかった。消費者保護法制からは、景品表示法（令和5年10月1日改正を含む）と消費者契約法（令和5年6月1日改正を含む）から各1問の出題があった。資本市場からの出題はなかった。

　経営法務の攻略法は、やはり基本的な知識で正解できる問題を確実にとること、そしてやや難しい問題や、ケース問題に対する応用力、現場対応力をアップすることである。そのためには、過去問学習が基本となる。受験生の皆さんは、本試験問題を学習することにより、本番で、どのような論点が、どのように問われるかを早い時期に体得してほしい。令和7年度以降も経営法務の出題の中心は、会社法と知的財産権法であろう。これらの分野を中心に、確かな知識に加えて、本試験モードの試験現場での解答力を身につけてほしい。確かな知識に基づく応用力、本番での現場対応力が合格力である。本年度の解答解説も、そのためにぜひ役立てていただきたい。

　なお、以下の解説では、会社法における公開会社でない会社（非公開会社）のことを、「株式譲渡制限会社」と呼称する。また、指名委員会等設置会社と監査等委員会設置会社を総称する場合に、「委員会設置会社系」という呼称を用いる。

第1問

　監査等委員会設置会社の知識を問う問題である。

ア　×：監査等委員会設置会社とは、監査等委員会を置く株式会社である（会社法第2条11号の2）。監査等委員会設置会社においては、指名委員会等設置会社ではない会社と同様に、代表取締役が業務を執行し、会社を代表する（会社法第363条1

項 1 号、349条 4 項)。監査等委員会設置会社では、指名委員会等設置会社と異なり、「執行役」は、制度上置くことができない。監査等委員会設置会社の取締役会は、監査等委員ではない取締役の中から、代表取締役を選定しなければならない（会社法第399条の13第 1 項 3 号、同条 3 項)。

イ ○：正しい。監査等委員会設置会社は、大会社であるか否かにかかわらず、会計監査人を必ず設置しなければならない（会社法第327条 5 項)。

ウ ✕：監査等委員会設置会社は、監査機能を担う重要性に鑑みて、公開会社であるか否かにかかわらず、監査等委員である取締役を 3 人以上選任しなければならない（会社法第331条 6 項)。

エ ✕：監査等委員である取締役は、公開会社であるか否かにかかわらず、その過半数は、社外取締役でなければならない（会社法第331条 6 項)。

よって、**イ**が正解である。

第2問

監査役および監査役会の知識を問う問題である。

ア ○：正しい。監査役会設置会社においては、監査役会は、監査役の中から、常勤の監査役を選定する権限があり、かつ、選定しなければならないとされる（会社法第390条 2 項 2 号、3 項)。常勤監査役とは、株式会社の営業時間中、その株式会社の監査役としての職務を行う者をいう。また、監査役会を構成する監査役は、3 人以上でなければならず、そのうち半数以上は、社外監査役でなければならない（会社法第335条 3 項)。ところで、会社法第390条 3 項は、「監査役会は、監査役の中から常勤の監査役を選定しなければならない。」と規定するが、同条同項の監査役からは社外監査役は除外されず、他に会社法には、社外監査役が常勤監査役を兼任することを禁止する明文の規定もないことから、監査役会が決議すれば、社外監査役を常勤監査役に選定することは、可能であると解されている。

イ ✕：監査役会設置会社においては、監査役を 3 人以上選任しなければならない旨の本肢前段の記述は正しい。しかし、その選任人数の「半数以上」は、社外監査役でなければならない（会社法第335条 3 項)。「過半数」でなければならない、とする本肢後段の記述は不適切である。

ウ ✕：監査役の報酬については、監査役の地位の独立性を担保するために、定款または株主総会決議によって定めなければならないとされている（会社法第387条 1 項)。また、監査役が 2 人以上ある場合においては、各監査役の報酬等について定款または株主総会決議がない場合は、定款または株主総会決議で定めた報酬の総額の範囲内で、監査役の協議によって定める（同条 2 項)。

エ ✕：監査役を含む役員および会計監査人と会社との関係は、委任（民法第643条）の規定に従う（会社法第330条）。そこで、委任契約の解除と同様に、役員および会計監査人は、いつでも、株主総会の決議によって解任することができる（会社法第339条1項）。この場合、監査役の解任については、株主総会の特別決議によらなければならない（会社法第341条、343条4項、309条2項7号）。解任された者は、その解任について「正当な理由」がある場合を除き、株式会社に対して、解任によって生じた損害の賠償を請求することができる（会社法第339条2項）。以上のように、株式会社が役員を解任することは自由であり、「正当な理由」の有無は、損害賠償の問題となる場合があるだけであって、正当な理由がなければ、解任することが許されないわけではない。したがって、監査役を解任するには、株主総会特別決議によらなければならないが、解任について正当な理由がなければならないわけではない。

よって、**ア**が正解である。

第3問

株主による監督是正権のうち、一定の持株数に応じて与えられる少数株主権である株主提案権や、株主総会招集請求権の要件（それぞれの議決権数および株式の継続保有期間）について問う問題である。なお、本問では、公開会社である取締役会設置会社であることが前提となっている。

1．株主提案権の種類は、次のとおりである。

⑴　議題提案権（議題の追加を求める権利）

　　株主総会において、会議の目的である事項（議題）に一定の事項を加えることを請求する権利（会社法第303条1項）。「取締役の選任」「監査役の選任」「定款の変更」等、議題そのものの追加を求めるものである。

⑵　議案要領の通知請求権

　　株主総会に先立って、もともと会議の目的である事項（たとえば「取締役の選任」）について、株主が提案しようとしている議案の要領（内容）について、会社が発する株主総会招集通知に記載することを請求する権利である（会社法第305条1項）。

⑶　議案提案権

　　株主総会において、株主総会の会議の目的である事項（たとえば「取締役の選任」）について、議案（たとえば、甲を取締役に選任せよ。）を提案することができる権利である（会社法第304条本文）。

　　これらのうち、⑴議題提案権および⑵議案要領の通知請求権が、少数株主権で

ある。少数株主権とは、株式会社において、総株主の議決権の一定割合または一定数以上を保有することを要件として、株主に認められる権利をいう。取締役会設置会社では、株主による権利濫用を防止する趣旨で、両者について、総議決権の100分の1（1％）以上または300個以上の議決権を保有していることが要件とされる（本問が問うている要件である）。さらに、これらについては、公開会社にあっては6カ月以上の保有期間が必要である（会社法第303条2項、305条1項ただし書）。

これらに対して、(3)の議案提案権は、単独株主権（株主権のうち、1株の株主でも行使しうる権利）であり、株式の6カ月以上の保有期間は要件とされない。また、取締役会を設置していない会社では、(1)の議題提案権および(2)の議案要領の通知請求権も単独株主権となる。また、株式譲渡制限会社にあっては、いずれの権利についても6カ月以上の株式保有期間の制限はない（会社法第303条3項、305条2項）。

以上から、空欄Aには「1」、空欄Bには「6」が入る。

2. 株主による株主総会の招集請求権

これも、少数株主権の一種であり、一定の株主（6カ月前から、どの時期をとっても総株主の議決権の100分の3（3％）以上の議決権を有していた株主）は、まず取締役に対し、株主総会の招集を請求し（会社法第297条1項）、招集手続がとられないときは、裁判所の許可を得た上で、株主自らが株主総会を招集することができる（会社法第297条4項）。

この場合も、株式譲渡制限会社では、6カ月保有要件は問われない（会社法第297条2項）。

以上から、空欄Cには「3」、空欄Dには「6」が入る。

よって、**イ**が正解である。

なお、下表に会社法による株主の監督是正権として少数株主権をまとめたので、参考にしてほしい（条文番号は会社法のものである）。

要件（総株主の議決権に占める割合）※1	要件（発行済株式総数に占める割合）※1	内　容	保有制限※2
10％以上	10％以上	会社解散の訴え（833条）	（なし）
3％以上	（なし）	株主総会の招集請求等（297条、325条）	あり
3％以上	3％以上	業務執行検査役の選任申立て（358条）	（なし）
		会計帳簿の閲覧請求（433条）	（なし）
		清算人の解任申立て（479条）	あり
		役員の解任の訴え（854条）	あり
1％以上	（なし）	株主総会検査役の選任申立て（306条）	あり
	1％以上	多重代表訴訟※3の提起の請求（847条の3）	あり
1％以上または議決権300個以上※4	（なし）	株主総会の議題※5の追加請求等（303条、305条、325条）	あり

※1　「総株主の議決権に占める割合」または「発行済株式総数に占める割合」のいずれか一方を満たせばよい。ともに定款で引下げ可。

※2　公開会社における6か月（定款で短縮可）以上という株式保有期間の制限のこと（株式譲渡制限会社では保有期間の制限はない）。

※3　完全親会社（＝当該完全子会社の唯一の株主）に代わって、最終完全親会社等（＝最上位の親会社という意味）の株主が、役員等に対する損害賠償請求をすることができる制度のこと。

※4　取締役会設置会社の場合に必要となる（取締役会不設置会社ではこの要件はない）。

※5　「議案」の提案請求の場合には、株式数（および保有期間）の制限はない（304条）。なお、「議題」は株主総会の目的事項（たとえば、取締役の選任）をいい、「議案」は議題に対する具体的内容（たとえば、Aさんを取締役にする）をいう。

第4問

剰余金の配当について問う問題である。

ア　○：正しい。株式会社が剰余金の配当をする場合、原則として、株主総会決議によらなければならない（会社法第453条、454条1項）。この例外として、次の2つの場合には、取締役会決議で剰余金の配当ができる。

(1) 中間配当：取締役会設置会社では、1事業年度中に1回だけ、取締役会の決議によって剰余金の配当をすることができる（これを中間配当といい、金銭配当に

限られる。会社法第454条5項)。

(2) 定款による取締役会への分配特別規定がある場合：a 委員会設置会社系、b ①
会計監査人設置会社であること、②監査役会設置会社であること、③取締役の任
期が1年を超えないことの①から③のすべてを満たした場合、これらa 委員会設
置会社系またはbの①から③の要件をすべて満たした株式会社では、剰余金の配
当を取締役会が決定できる旨を、定款に定めることができる（会社法第459条1
項)。

本問では、(1)の中間配当は考慮しないものとされ、また、取締役の任期は2年と
されているため、(2)のa 委員会設置会社系には該当せず（委員会設置会社系では、
監査等委員である取締役を除き、取締役の任期は1年以内とされる）、b ③も満た
さない。よって、本問の場合、剰余金の配当は、株主総会決議によらなければなら
ないことになる。

イ ✕：株式会社は、その純資産額が300万円を下回る場合には、剰余金の配当をす
ることができない（会社法第458条)。会社法制定以前は、最低資本金制度（株式会
社1,000万円、有限会社300万円）が存在したが、この制度は、廃止された。しかし、
現在でも純資産額300万円は、会社の計算上の数額としての意味を持っており、会
社法第458条が、明文で、これを下回る場合の剰余金配当を禁止している。

ウ ✕：剰余金の配当は、分配可能額の範囲内でしなければならない（会社法第461
条1項8号)。分配可能額を超えてなされた剰余金配当は、違法とされ、当該配当
を受けた株主は、株式会社に対し、交付を受けた金銭等の帳簿価額に相当する金銭
を支払う義務を負う（会社法第462条1項)。

エ ✕：会社法は、剰余金の配当について、配当財産の種類および帳簿価額を定める
ことを規定している（会社法第454条1項1号)。配当財産の種類は、当該株式会社
の株式であってはならないが、それ以外の制限はなく、金銭以外の現物での配当も
可能である。ただし、現物配当の場合であって、株主に金銭分配請求権を与えない
場合には、株主の保護や公平を図るため、配当には、株主総会の特別決議が要件と
される（会社法第454条4項、309条2項10号)。

よって、**ア**が正解である。

第5問

社債の知識を問う問題である。

ア ✕：社債は、会社の公衆に対する起債であり、当該社債発行会社を債務者とする
金銭債権であって（会社法第2条23号)、その法的性質は金銭消費貸借である。し
たがって、会社は、業務執行の一環として、原則として自由に社債を発行できるは

ずであるが、取締役会設置会社にあっては、募集事項の決定は、取締役会決議によらなければならない（会社法第362条4項5号、会社法施行規則第99条）。このことは、公開会社であっても株式譲渡制限会社であっても変わりはない。募集事項の決定が、「公開会社である場合には、株主総会の決議事項であるが、公開会社ではない会社の場合は、取締役会の決議事項である。」という本肢の記述は不適切である。

イ ○：正しい。社債権者集会とは、社債権者の利害に重大な関係がある事項（社債償還の不履行への対応や、社債発行会社の資本金・準備金の減少、合併などの組織再編等）について、社債権者の総意を決定するために構成される集会をいう。社債権者集会の決議は、各社債権者の社債金額に応じて、議決権を行使して決定するのが原則である。例外として、社債権者や社債発行会社等が、社債権者集会の目的である事項について提案した場合において、当該提案につき、議決権者の全員が書面または電磁的記録により、同意の意思表示をしたときは、当該提案を可決する旨の社債権者集会の決議があったものとみなされる（会社法第735条の2）。

ウ ✕：社債は、会社法に定める「会社」であれば、株式会社および持分会社が（合同会社に限られず、合資会社、合名会社も）発行することができる（会社法第2条23号、676条）。

エ ✕：社債を発行する場合、社債券の発行は、株券や新株予約権証券と同様に、原則として任意である（会社法第676条6号）。

よって、**イ**が正解である。

第6問

定款の記載事項（絶対的記載事項、相対的記載事項および任意的記載事項）を問う問題である。

定款の絶対的記載事項（定款に必ず記載または記録しなければならない事項であって、これを記載または記録しないときには定款自体が無効となるもの）は、次のとおりである（会社法第27条1号〜5号）。

①目的（1号）、②商号（2号）、③本店の所在地（3号＝a）、④設立に際して出資される財産の価額またはその最低額（4号＝b）、⑤発起人の氏名または名称および住所（5号＝c）

すると、d取締役の員数と、e定時株主総会の招集時期の2つは、定款の絶対的記載事項ではない。また、定款に記載せずに、他の方法で定めても有効であるにもかかわらず、会社の意思で定款に記載する事項（任意的記載事項。会社法第29条）が認められ、d取締役の員数や、e定時株主総会の招集時期は、この任意的記載事項に該当する。

よって、**エ**が正解である。

株式会社の特別支配株主の株式等売渡請求（設問1）や、事業の全部譲渡の手続（設問2）を問う問題である。

設問1 ● ● ●

平成26年会社法改正により、特別支配株主の株式等売渡請求権（会社法第179条、会社法施行規則第33条の4以下）が制度化された。

この制度は、株式会社の特別支配株主が、他の株主に対し、その保有する株式や新株予約権の全部を自己に売り渡すことを請求することができる、というものである。この制度は、キャッシュ・アウト（金銭を対価とする少数派株主からの株式取得）に関する法的手続を整備したもので、ある株式会社の大株主が、株主総会決議を経ることなく、その他の少数株主から株式を買収して、当該株式会社の100%株主となる道を開き、株式会社の経営を効率化する仕組みである。

手続の具体的な流れは、特別支配株主（当該株式会社の「総株主の議決権」（＝空欄A）の「10分の9」（＝空欄B）以上を保有する株主）が、対象会社の承認を得ることにより、他の株主（売渡株主）から強制的に株式を取得することができることとなる。

よって、**イ**が正解である。

設問2 ● ● ●

X社の事業の全部をY社に譲渡する場合、他の組織再編行為と異なり、債権者異議（保護）手続は不要である。事業譲渡の場合には、事業譲渡に伴って債務者の変更を伴うような免責的債務引受を行うためには、民法の一般原則に従って、当該債権者の個別の同意が必要とされる（民法第472条3項）ため、債権者異議手続は規定されていないからである。よって、空欄Cには、「債権者異議手続は不要です」が入る。

次に、X社の株主のうち、事業の全部譲渡に反対する株主には、原則として、株式買取請求権が認められる（会社法第469条、470条）。しかし、事業譲渡の承認決議と同時に解散の決議をする場合には、事業譲渡と解散の手続を円滑に進めるために、反対株主の株式買取請求権は発生しないこととされている（会社法第469条1項1号）。よって、空欄Dには、「株式買取請求権が認められていますが、事業譲渡の承認決議と同時に解散の決議をする場合には、株式買取請求権は発生しません」

が入る。

　よって、**エ**が正解である。

第8問

取締役会設置会社における株式併合および株式分割について問う問題である。

ア　×：株式併合とは、2株を1株に、または5株を2株に、というように、数個の
株式を合わせて、それよりも少数の株式とすることをいう（会社法第180条1項）。
株式併合により、発行済株式総数は減少する。これに対し、株式分割とは、1株を
2株に、または2株を5株に、というように、既存の株式をより細分化して、それ
よりも多数の株式とすることをいい、同種の株式の数を、一定の割合で増加させる
結果となる（会社法第183条1項）。株式分割により、発行済株式総数は増加する。

　株式併合を行うと、既存株主の持株数の減少や、一株未満の端数の発生など、株
主の利益に重大な影響を与える。そこで、株式併合を行うためには、会社はその都
度、①併合割合、②併合の効力発生日、③種類株式発行会社の場合には併合を行う
株式の種類、④効力発生日における発行可能株式総数を定め、取締役は、株主総会
で株式併合を必要とする理由を説明した上で、「株主総会の特別決議」による承認
が必要とされる（会社法第180条2項、4項、309条2項4号）。これに対し、株式
分割は、既存株主にとって特別な不利益は想定されないため、取締役会設置会社に
おいては取締役会決議で決定し、行うことができる（会社法第183条2項括弧書）。

イ　○：正しい。株式併合によって、一株未満の端数が生じることとなる場合に、端
数部分については反対株主の株式買取請求権が認められる（会社法第182条の4か
ら6）。これに対し、株式分割の場合には、株主にとって特段の不利益が発生する
おそれはないため、反対株主に株式買取請求権は認められない。

ウ　×：発行可能株式総数が100株の会社であって、発行済株式総数が50株の株式会
社が、1株を10株とする株式分割をする場合、株式分割の実行によって、発行済株
式総数は500株となるから、発行可能株式総数として定款に定めた数の100株を超え
ることになり、定款変更を行う必要がある。このような場合には、株式会社は、現
に2種類以上の種類株式を発行している場合を除き、株主総会の決議によらなくて
も、株式分割に応じて、発行可能株式総数を比例的に増加させる旨の定款変更をす
ることができる（会社法第184条2項）。具体的には、発行可能株式総数が100株の
会社であれば、株式分割の分割比率1：10の割合に応じて、発行可能株式総数を
1,000株までの分割比率を超えない範囲内であれば、取締役会決議等で定款変更す
ることができる。本問の株式会社は、取締役会設置会社であり、種類株式発行会社
ではないため、発行可能株式総数を600株とする定款変更は、取締役会決議で行う

27

ことができる。

エ ✕：株式併合を行う場合、発行済株式総数は減少する。株式会社が株式併合を行う場合には、株式譲渡制限会社の場合を除き、株主総会特別決議によって、その効力発生日における発行済株式総数の4倍を超えない範囲で、効力発生日における発行可能株式総数を定めなければならない（会社法第180条2項4号、3項）。そして、この株主総会決議がなされると、当然に、定款の発行可能株式総数は、決議のとおり変更されたものとみなされる（会社法第182条2項）。

そこで、発行可能株式総数が900株、発行済株式総数が300株の株式会社が、2株を1株に株式併合する場合、当該会社が公開会社であれば、併合の効力発生日における発行済株式総数は150株に減少することから、その4倍を超えない600株までの範囲で、発行可能株式総数を変更する必要がある。

よって、**イ**が正解である。

第9問

独占禁止法の課徴金納付制度と減免制度（令和2年12月25日改正）の知識を問う問題である。

ア ✕：公正取引委員会は、独占禁止法に違反する不当な取引制限（カルテル、入札談合）、私的独占および一定の不公正な取引方法（共同の取引拒絶、差別対価、不当廉売、再販売価格の拘束、優越的地位の濫用）を行った事業者に対して、課徴金を国庫に納付することを命じることができる（課徴金制度。独占禁止法第7条の2）。課徴金は、独占禁止法違反行為の防止を目的として、違反事業者に課される金銭的不利益であり、課徴金額は、違反行為に係る期間中（始期は調査開始日から最長10年前まで遡及）の対象商品または役務の売上額または購入額に事業者の規模に応じた算定率を掛けて計算される。課徴金算定率は、原則として10%であるが、違反行為者が中小企業（同一企業グループ内のすべての事業者が中小企業である場合に限定）であって、違反行為について主導的役割を果たしていないときは、中小企業算定率として、一律4%の算定率が適用される。したがって、大企業に対する課徴金算定率から、資本金の割合に応じた減額が認められるということはない。

イ ○：正しい。課徴金減免制度とは、事業者が自ら関与したカルテルおよび入札談合について、その違反内容を、公正取引委員会に自主的に申請した場合、課徴金が減免される制度である。減免申請の順位に応じた減算率に、事業者の協力がその事案の真相解明に寄与する程度に応じた減算率を加えた減算率が適用され、課徴金が減免される（独占禁止法第7条の4）。この制度は、事業者自らが独占禁止法違反の内容を公正取引委員会に報告し、かつ資料を提出することにより、カルテルおよ

び入札談合等の発見を容易にし、違反事案の真相解明を効率的かつ効果的に行うことにより、独占禁止法の目的とする公正競争秩序を早期に回復することを目的としている。

　この課徴金減免制度における申請は、公正取引委員会が定める様式の申請書を提出することによってなされるが、その申請方法は、確実に順位を決定できるように、電子メールにより、公正取引委員会の定める電子メールアドレスに送信する方法に限られる。郵送または持参の方法は、認められない。

ウ　✕：課徴金減免制度は、公正取引委員会が調査を開始する前に申請がなされたか、調査を開始した後に申請がなされたかと、その申請順位により、異なる減算率による課徴金減免がなされる制度となっている。公正取引委員会の調査開始前に課徴金減免申請を行い、その申請順位が1位の場合、申請順位に応じた減算率は100％（全額免除）とされているが、調査開始後に課徴金減免申請を行った場合、調査開始前に課徴金減免申請を行った者がおらず、かつ、調査開始後の課徴金減免申請の申請順位が1位の場合、減算率10％の課徴金減免がなされ得るにとどまる（さらに、調査への協力度合いに応じて、最大20％を加えた減算率による減免がなされうるが、本問ではこれを考慮しないとされている）。

エ　✕：課徴金納付命令の対象となる独占禁止法違反行為は、選択肢**ア**の解説で述べたとおりであり、再販売価格の拘束行為も、課徴金の対象行為に含まれる。

よって、**イ**が正解である。

第10問

特許法の異議申立て、無効審判制度について問う問題である。

ア　✕：特許法による審査を経て与えられた特許権も、常にその審査が完璧とは限らない。そこで、成立した特許権について、特許要件の具備に対して公開審査に付することを趣旨として、特許異議申立制度が設けられている。特許異議申立ては、何人（なんびと）も、特許庁長官に対して、特許掲載公報の発行の日から6か月以内に限り、特許異議申立事由があることを理由に、することができる（特許法第113条）。異議申立ての期間は、6か月以内であり、「1年以内」ではない。

イ　○：正しい。選択肢**ア**の解説で述べたとおり、特許権の具備に対する一般社会の公開審査に付することが特許異議申立制度の趣旨であるから、申立ては、何人（なんびと）も（利害関係の有無にかかわらず、誰でも）行うことができる（特許法第113条）。

ウ　✕：特許異議申立制度は、成立した特許権に対する公開審査を趣旨とするが、これとは別に、特許法は特許無効審判制度を設けている（特許法第123条）。特許無効審判は、特許権が、特許要件の規定違反や、不特許事由に該当する場合に、当該特

許の効力を争う利害関係を有する当事者が、その特許を無効とする審判を特許庁長官に請求する制度であり、利害関係人のみ、いつでも請求可能である。

エ　✕：特許異議申立ての理由となる事項は、明細書や図面の補正に係る手続違反（特許法第113条1号）、②特許要件が欠けること（同条2号）、③条約違反（同条3号）、④明細書の記載要件不備等（同条4号）、⑤外国語出願の場合の原文範囲外であること（同条5号）の5つとされる。これに対し、出願について発明の単一性の規定の要件を満たさない場合は、特許庁による審査の場面での拒絶理由とされるにとどまり、特許法第113条各号に規定される特許異議申立理由には掲げられていない。

よって、**イ**が正解である。

第11問

産業財産権4法について、横断的に知識を問う問題である。

ア　✕：「不実施の場合の通常実施権の設定の裁定」制度は、特許法および実用新案法に設けられているが、意匠法および商標法では、設けられていない。特許法第83条1項は、「特許発明の実施が継続して3年以上日本国内において適当にされていないときは、その特許発明の実施をしようとする者は、特許権者または専用実施権者に対し通常実施権の許諾について協議を求めることができる。ただし、その特許発明に係る特許出願の日から4年を経過していないときは、この限りでない。」とし、同条2項は、「前項の協議が成立せず、または協議をすることができないときは、その特許発明の実施をしようとする者は、特許庁長官の裁定を請求することができる。」と規定する。これが、いわゆる「不実施の場合の通常実施権の裁定制度」である。これは、特許権者が発明を実施していない場合に、当該発明を実施したい第三者との利益の調整を図る制度である。そして、実用新案法第21条にも同様の規定が置かれているが、意匠法および商標法には、同様の規定はない。

イ　✕：出願公開制度は、特許法（特許法第64条〜65条）と商標法（商標法第12条の2）に設けられている。しかし、実用新案法では、出願公開制度は設けられていない。

ウ　○：正しい。産業財産権の各権利は、相互に異なる権利に出願を変更できる場合がある。たとえば、特許出願、実用新案登録出願、意匠登録出願は、既に特許庁に係属する出願を、相互に他の権利の出願に変更することができる（特許法第46条、実用新案法第10条、意匠法第13条）。この変更出願がなされた場合、元の出願は取り下げられたものとみなされ、変更出願は、元の出願時になされたものとみなされる。これに対して、商標登録出願は、商標法の範囲内において、通常の商標登録出願と団体商標、地域団体商標、防護標章登録出願との間での出願変更は認められる

ものの、特許権、実用新案権および意匠権といった異なる権利への出願変更は認められない（商標法第11条、12条）。したがって、商標登録出願を意匠登録出願に変更することはできない。

エ　×：特許法では、出願しただけでは審査は行われることはなく、審査請求があってはじめて審査が開始される。この審査請求は、出願人に限らず、誰でも請求することができる（特許法第48条の３）。

よって、**ウ**が正解である。

第12問

特許法における出願公開と、不正競争防止法による営業秘密の保護について問う問題である。平易な問題であるので、ぜひ正解したい。

特許出願すると、原則として、特許出願の日から「１年６カ月」（＝空欄A）を経過したときは出願公開される（特許法第64条１項）。すると、本問のような秘伝のレシピ（製法）が公開されてしまう。

これに対して、不正競争防止法による営業秘密として保護されることができるが、営業秘密として保護される要件は、①秘密管理性、②有用性、③非公知性の３つである。不正競争防止法は、「この法律において「営業秘密」とは、秘密として管理されている生産方法、販売方法その他の事業活動に有用な技術上または営業上の情報であって、公然と知られていないものをいう。」（不正競争防止法第２条６項）と規定しており、「公然と知られていないもの」（＝空欄B）が入る。

よって、**ア**が正解である。

第13問

商標法における「動き商標」「立体商標」について問う問題である。

商標法は、保護対象となる商標を、「人の知覚によって認識することができるもののうち、文字、図形、記号、立体的形状もしくは色彩またはこれらの結合、音その他政令で定めるもの」（商標法第２条１項、５条２項）としている。

その出願について、「動き商標」は、「商標に係る文字、図形、記号、立体的形状または色彩が変化するものであって、その変化の前後にわたるその文字、図形、記号、立体的形状もしくは色彩またはこれらの結合からなる商標のうち、時間の経過に伴って変化するもの」と定義される（商標法施行規則第４条）。そこで、文字を含んだ「動き商標」を商標登録することは、制度上認められており、空欄①には、ｂが入る。

次に、人形のような立体的形状からなる「立体商標」については、「立体的形状（文字、図形、記号もしくは色彩またはこれらの結合との結合を含む。）からなる商標」

と定義される（商標法施行規則第４条の３）。そこで、人形のような立体的形状は、商標登録の対象となり、文字を含んだ立体商標を登録することも、制度上認められている。そこで、空欄②には、ｅが入る。

よって、**イ**が正解である。

第14問

ネットワークを通じた電子情報財についての役務や商品の提供について、商標法の知識を問う問題である。

インターネットが発達して、電子情報財（電子出版物やプログラム等）が、広くネットワーク上で取引される現在、それらの商品・役務に関する商標の保護と法整備が必要とされるに至っている。

商標法は、平成14年の改正により、「商品または商品の包装に標章を付したものを譲渡し、引き渡し、譲渡もしくは引渡しのために展示し、輸出し、輸入し、または電気通信回線を通じて提供する行為」（商標法第２条３項２号）として、「電気通信回線を通じて提供する行為」を加えることにより、インターネット等のネットワークを通じた電子情報財の流通・取引行為が、商品商標の使用行為に含まれることを明らかにしている。また、「電磁的方法（電子的方法、磁気的方法その他人の知覚によっては認識することができない方法をいう。）により行う映像面を介した役務の提供に当たりその映像面に標章を表示して役務を提供する行為」（商標法第２条３項７号）も加えて、電子情報財についての役務商標を保護することも規定している。

そこで、「電子書籍の制作」というような役務について商標登録することは可能であり、空欄①には、ｂが入る。具体的には、商標登録区分第41類「教育、娯楽、スポーツ、文化」には、登録できる役務として「電子出版物の提供」が明記されている。

また、電子化された雑誌の発行は、商標登録区分第９類の「電子出版物」に該当し、商品商標として登録することが可能であり、空欄②には、ｄが入る。

よって、**エ**が正解である。

第15問

商店街の様子を撮影した動画に、商店街で流れている音楽が録り込まれる場合、形式的には、当該音楽が複製されており、音楽著作権者の複製権の侵害に当たりうる（著作権法第21条）。しかし、写真撮影、録音、録画の方法による、いわゆる「写り込み」は、撮影対象と、本問の商店街で流れる音楽のように付随的な対象著作物が分離困難であり、権利侵害の程度も極めて軽微であることから、著作権侵害とならないとされている。

　著作権法第30条の２は、写真の撮影、録音、録画、放送その他これらと同様に事物の影像または音を複製し、または複製を伴うことなく伝達する行為を行うに当たって、①付随対象著作物の利用により利益を得る目的の有無、②付随対象事物等の分離の困難性の程度、③付随対象著作物が果たす役割その他の要素に照らし、正当な範囲内において、利用することができるとする。④ただし、付随対象著作物の種類および用途ならびに当該利用の態様に照らし、著作権者の利益を不当に害することとなる場合は、この限りでない、とされる。

　このように、いわゆる「写り込み」は、上記①から④の要件を満たす限り、写り込み対象に音楽などの音が録り込まれていても、著作権侵害とならない場合がある。そこで、著作権法第30条の２に規定される４つの要件を検討する必要がある。そこで、空欄①には、ｂが入る。

　次に、本問の店舗の内装や、建物の外観が意匠法による意匠登録の対象となるかが問題となるが、令和２年４月１日施行の改正意匠法により、建築物の外観・内装デザインも保護対象に加えられた。

　改正意匠法では、「建築物（建築物の部分を含む。）」を意匠に含めることとし（意匠法第２条１項）、建築の外観も保護対象となる。また、意匠法第８条の２は、「店舗、事務所その他の施設の内部の設備および装飾（以下「内装」という。）を構成する物品、建築物または画像に係る意匠は、内装全体として統一的な美感を起こさせるときは、一意匠として出願をし、意匠登録を受けることができる。」と規定する。このように、建築物の内装を構成する意匠について、内装全体として統一的な美感を起こさせるときは、当該意匠を一意匠として意匠登録を受けることができる。そこで、空欄②には、ｄが入る。

　よって、**エ**が正解である。

第16問

　パリ条約について問う問題である。パリ条約は、正式には「工業所有権の保護に関するパリ条約」という。

　パリ条約は、産業財産権全般の基本的条約として1883年に成立した。同条約は、①内国民待遇の原則、②優先権制度、③相互独立の原則などを基本的考え方とする。

１．内国民待遇の原則

　　パリ条約第２条に定められており、「この条約で特に定める権利を害されることなく、他のすべての同盟国において、当該他の同盟国の法令が内国民に対し現在与えておりまたは将来与えることがある利益を享受する。」というものである。

2．優先権制度

　産業財産権について、加盟国（第1国）に正規の出願をした者が、一定期間内に、別の同盟国（第2国）に同一の出願をした場合には、第1国での出願の時を基準として優先権を認める仕組みである。たとえば、日本国（同盟国）で特許または実用新案の出願をした場合、他の加盟国（同盟国）で12か月以内（意匠や商標の場合には6か月以内）に同一の出願をし、パリ条約による優先権主張をすれば、先願の有無などについては、日本国での出願時を基準に判断されることになる。

　パリ条約では、各国で別々に出願手続をすることが必要であり、このような国際出願を、パリ条約ルートとよぶ。パリ条約の下では、産業財産権は属地主義のため、各国の知的財産権法の定める条件に従わなければならず、出願は各国別であり、登録費用も国ごとに必要となる。そこで、これらの不都合を解消するため、個別に各種の国際条約による取決めが重ねられるようになった。

　このように、パリ条約においては、特許権および実用新案権に認められる優先権は12か月であり、意匠権および商標権に認められる優先権は6か月である。

3．相互独立の原則

　同盟国が付与した特許権等は独立のものであって、他の国（注：同盟国に限られない）における無効化を根拠として無効化されることはない。たとえば、同一の発明で日本と米国で特許を取得した場合において、米国で当該特許が無効とされたとしても、それをもって日本国の特許が無効となるわけではない。

　以上を踏まえて、各選択肢を検討する。

ア　○：正しい。上記2の優先権について、パリ条約第4条A(2)項は、「各同盟国の国内法令または同盟国の間で締結された2国間もしくは多数国間の条約により正規の国内出願とされるすべての出願は、優先権を生じさせるものと認められる。」と規定している。

イ　✕：上記1の内国民待遇について、同条約第3条は、同盟国の国民とみなされる者として「同盟に属しない国の国民であって、いずれかの同盟国の領域内に住所または現実かつ真正の工業上もしくは商業上の営業所を有するものは、同盟国の国民とみなす。」と規定している。

ウ　✕：パリ条約第1条は、同条約が適用される工業所有権の保護対象として、「工業所有権の保護は、特許、実用新案、意匠、商標、サービス・マーク、商号、原産地表示または原産地名称および不正競争の防止に関するものとする。」と規定し、幅広い権利保護を定めている。

エ　✕：上記2の解説で述べたとおり、パリ条約においては、特許権および実用新案権に認められる優先権は12カ月であり、意匠権および商標権に認められる優先権は

6カ月である。

よって、**ア**が正解である。

第17問

特許法上の職務発明について問う問題である。

ア **×**：特許法第35条３項は、「従業者等がした職務発明については、契約、勤務規則その他の定めにおいてあらかじめ使用者等に特許を受ける権利を取得させることを定めたときは、その特許を受ける権利は、その発生した時から当該使用者等に帰属する。」と規定する。したがって、契約、勤務規則などにおいて、あらかじめ特に定めがなければ、特許を受ける権利は、その発生時から、発明者である従業者に原始的に帰属する。

イ **×**：「職務発明」とは、従業者が、その性質上当該使用者の業務範囲に属し、かつ、その発明をするに至った行為が、その使用者における従業者の現在または過去の職務に属する発明のことをいう（特許法第35条１項）。職務発明に該当するには、業務範囲であることのみならず、従業者の現在または過去の職務に属する発明であることが要件とされる。たとえば、開発命令を受けていない営業部員による発明といった、業務の範囲内ではあるが職務によらない発明（業務発明という。）は職務発明に該当しない。

ウ **×**：従業者は、職務発明について契約、勤務規則その他の定めにより使用者等に特許を受ける権利を取得させ、使用者等に特許権を承継させ、もしくは使用者等のため専用実施権を設定したときには、相当の金銭その他の経済上の利益（以下「相当の利益」という。）を受ける権利を有する（特許法第35条４項）。「相当の利益」は「経済上の利益」であることを要するため、単なる表彰などはこれに該当しないが、「経済上の利益」といえるものであれば、金銭のほか、①使用者等負担による留学の機会の付与、②ストックオプションの付与、③金銭的処遇の向上を伴う昇進または昇格、④法律および就業規則所定の日数・期間を超える有給休暇の付与、⑤職務発明に係る特許権についての専用実施権の設定または通常実施権の許諾などが含まれると解されている。そこで、ストックオプションの付与による相当の利益の付与は、適法である。

エ **○**：正しい。職務発明をした従業者に対する「相当の利益」の付与については、「契約、勤務規則その他の定めにおいて相当の利益について定める場合には、相当の利益の内容を決定するための基準の策定に際して使用者等と従業者等との間で行われる協議の状況、策定された当該基準の開示の状況、相当の利益の内容の決定について行われる従業者等からの意見の聴取の状況等を考慮して、その定めたところによ

35

り相当の利益を与えることが不合理であると認められるものであってはならない。」（特許法第35条5項）とされ、「経済産業大臣は、発明を奨励するため、産業構造審議会の意見を聴いて、前項の規定により考慮すべき状況等に関する事項について指針を定め、これを公表するものとする。」（同条6項）とされている。同項に基づき「特許法第35条6項に基づく発明を奨励するための相当の金銭その他の経済上の利益について定める場合に考慮すべき使用者等と従業者等との間で行われる協議の状況等に関する指針」（平成28年4月22日、経済産業省告示第131号）が定められ、公表されている。

よって、**エ**が正解である。

第18問

商標法による専用・通常使用権や権利移転の知識を問う問題である。

ア ✕：「商標権者は、その商標権について専用使用権を設定することができる。」（商標法第30条1項本文）。この専用使用権の設定は、当事者間の設定契約に加えて、設定登録を行うことが、効力発生要件とされる（商標法第30条4項による特許法第98条1項2号準用）。

イ 〇：正しい。商標法における通常使用権については、特許権、実用新案権および意匠権における通常実施権について当然対抗制度（当該権利の譲受人に対して、通常実施権の登録をしなくても対抗できる制度）が規定されているのに対して、当然対抗制度は認められない。そこで、商標権について通常使用権が許諾された後、その商標権が第三者に譲渡された場合において、通常使用権者が商標権の譲受人に対して通常使用権を対抗するためには、通常使用権の登録が必要である（商標法第31条4項、5項）。

ウ ✕：商標法における通常使用権の移転には、権利移転当事者間の合意があれば足り、移転の登録は不要である。登録は、第三者に対する対抗要件である（商標法第31条5項）。

エ ✕：当事者間の契約により商標権を譲渡する場合、商標権の移転の効力は、当事者の合意に加えて、移転登録をすることによって移転の効力が発生する（商標法第35条により準用する特許法第98条1項1号）。商標権の移転登録は、効力発生要件であり、対抗要件ではない。

よって、**イ**が正解である。

第19問

国際取引における英文契約について、英文契約条項を読み解き、その条項が規定す

るテーマ（当該条項のタイトル）を選択させる問題である。英文契約条項および解答群すべてが英文であり、難易度は高い。

＜本契約書の該当条項の和訳＞

「第○○条

本契約のいずれかの条項が、無効、違法または履行強制不可能であると判断される場合、当該条項は、当然に無効、違法または履行強制不可能とされる範囲内においてのみ無効となり、残余の条項の有効性、適法性および執行可能性は、これによって、いかなる形でも影響を受けず、損なわれることはないものとする。」

この条項は、いわゆる「無効規定の分離可能性条項」（可分性、Severability＝選択肢**エ**）と呼ばれるものである。

契約締結時に当事者が定めた契約内容の一部が、法律の強行規定に違反するなどして無効、違法とされたり、履行を強制することが不可能となったりすることがある。そのような場合には、契約内容の一部の無効、違法または履行強制不可能が、契約の他の部分に及ぼす影響が問題になる。契約実務では、契約内容の一部の無効が、契約全体を無効とすることを避けるため、無効とされる条項が軽微なものである場合には、当該無効とされる一部の条項は、他の条項の有効性に影響を与えないことを確認する規定が置かれることが多い。これを、「無効規定の分離可能性条項」という。これは、契約内容の無効部分と有効部分の「可分性」を表すものであるので、本条項のタイトルは「Severability＝可分性」が正しい。

なお、解答群の他の語句の内容は、次のとおりである。

ア Entire Agreement「完全な合意（最終）条項」：文書化された契約内容が、完全かつ最終の合意内容であって、これと異なる口頭の合意や修正は排除されることを規定する条項である。

イ Force Majeure「不可抗力条項」：自然災害、戦争、内乱など当事者が予期できない不可抗力の範囲と、これによる契約当事者の免責内容等を定める条項である。

ウ No Waiver「権利放棄をしない条項」：英米法には、エストッペル（estoppel＝禁反言）という原則があることから、契約上の権利の不行使が度重なると、その後に権利行使しようとしても、権利を放棄したとみなされることがある。「権利放棄をしない条項」は、その権利の喪失を避ける目的で、権利放棄しないことを定める条項である。

よって、**エ**が正解である。

第20問

民法が定める売買契約の契約不適合責任について問う問題である。

ア ✕：民法は、売買契約等の有償契約について、債務不履行責任の特則として、契約不適合責任を規定する（民法第562条～566条）。売主が、種類または品質に関して、売買契約の内容に適合しない目的物を買主に引き渡した場合、買主は、追完請求（民法第562条、565条）、損害賠償請求および契約の解除（民法第564条、565条）をすることができる。また、民法第563条１項は、買主が相当の期間を定めて履行の追完の催告をし、その期間内に履行の追完がないときは、買主は、その不適合の程度に応じて代金の減額を請求することができると明文で規定し、同条２項は、履行の追完が不能である場合等には、無催告での代金減額請求を認めている。

イ ✕：売主が、種類または品質に関して契約の内容に適合しない目的物を買主に引き渡した場合において、買主がその不適合を知った時から１年以内にその旨を売主に通知しないときは、買主は、その不適合を理由として、履行の追完の請求、代金の減額の請求、損害賠償の請求および契約の解除をすることができない（民法第566条本文）。これに対し、売買の目的物の数量に関する契約不適合責任については、この１年以内という期間制限は受けず、消滅時効の一般原則に従う。

ウ 〇：正しい。民法の規定は、原則として任意規定であり、当事者の特約によって、その適用を排除することができる場合がある。しかし、引き渡された目的物が、種類、品質または数量に関して売買契約の内容に適合しない場合について、売主が契約不適合責任を負わない旨の特約をした場合であっても、売主が契約不適合を知りながら告げなかった事実については、責任を免れることができない（民法第572条）。

エ ✕：「引き渡された目的物が種類、品質または数量に関して契約の内容に適合しないものであるときは、買主は、売主に対し、目的物の修補、代替物の引渡しまたは不足分の引渡しによる履行の追完を請求することができる。ただし、売主は、買主に不相当な負担を課するものでないときは、買主が請求した方法と異なる方法による履行の追完をすることができる。」（民法第562条１項）。売主に不相当な負担を課するものである場合ではなく、買主に不相当な負担を課するものでない場合に、買主が請求した方法と異なる方法による履行の追完をすることができる、としている点に注意が必要である。

よって、**ウ**が正解である。

第21問

売買契約における手付について問う問題である。

不動産取引など重要な売買契約では、当事者間で手付金が授受されることが実務上の慣例である。一般に、手付とは、契約に際し、当事者の一方から相手方に交付される金銭等であり、後に代金の一部として充当される内金とは異なる性質のものをいう

とされる。手付の金額や性質・内容は、契約自由の原則により、当事者が自由に決定することができるが、大きく分類すると、次のような性質があるとされている。

(1)証約手付：手付の交付が、売買契約締結の証拠となる手付をいう。この性質は、すべての手付が有する。

(2)違約手付：契約違反があった場合に、損害賠償とは別に没収される金銭という趣旨の手付をいう。

(3)解約手付：当事者が、契約の解除権を留保するという趣旨で授受される手付をいう。この趣旨の手付が交付された場合には、買主は手付金を放棄し、売主は手付金の倍額を返還して、契約を解除することができる。この場合には、解除に正当な理由は必要とされない（民法は、手付について、解約手付の性質があるものと推定している（民法第557条1項））。

(4)損害賠償の予定としての手付：契約違反によって生じる損害賠償を担保する趣旨の手付をいう。

ア ✕：証約手付の性質は、すべての手付が有するものであり、当事者が違約手付の趣旨で交付された場合であっても、証約手付としての性質はある。

イ ✕：手付が解約手付の効力を有する場合、「買主が売主に手付を交付したときは、買主はその手付を放棄し、売主はその倍額を現実に提供して、契約の解除をすることができる。」（民法第557条1項本文）。売主から売買契約を解除する場合、それが解約手付の倍返しによるときは、手付の倍額を「現実に提供」しなければならず、買主に対し、口頭で手付の倍額を償還する旨を告げその受領を催告する、いわゆる口頭の提供では、解除できない。

ウ 〇：正しい。買主は手付を放棄することで契約を解除できるが、その相手方である売主が契約の履行に着手した後は、この限りでない（民法第557条1項ただし書）。履行の着手とは、客観的に外部から認識できるような形で履行行為の一部をなし、または履行の提供をするために欠くことのできない前提行為をしたことをいう（最大判昭和40.11.24）。このような行為がなされた場合には、もはや解除されないだろうとの相手方の期待・信頼を保護する必要があるからである。

エ ✕：手付の性質・内容は、原則として当事者が自由に決定することができる。手付が損害賠償額の予定としての効力を有する場合、それは契約違反があった場合に、損害額の立証を要しないで、手付金を損害賠償に充当する、という当事者の意思と解釈できる。しかし、それは、相手方が契約の履行に着手する前に、理由を問わないで解除できる、との解約手付の性質を、当然に排除するものではない。そこで、手付が、損害賠償額の予定と解約手付の両方の効力を有することがある。

よって、**ウ**が正解である。

景品表示法（不当景品類及び不当表示防止法）について知識を問う問題である。

ア ✕：景品表示法第5条は、商品または役務の品質または規格などの内容について、実際のものや競争事業者に係るものよりも著しく優良であると示す表示（優良誤認表示）、または著しく有利であると表示する表示（有利誤認表示）等を、不当表示として禁止している（同条1号～3号）。その詳細は、次のとおりである。

1号（優良誤認表示）：商品または役務の品質、規格その他の内容について、一般消費者に対し、実際のものよりも著しく優良であると示し、または事実に相違して当該事業者と同種もしくは類似の商品もしくは役務を供給している他の事業者に係るものよりも著しく優良であると示す表示であって、不当に顧客を誘引し、一般消費者による自主的かつ合理的な選択を阻害するおそれがあると認められるもの

2号（有利誤認表示）：商品または役務の価格その他の取引条件について、実際のものまたは当該事業者と同種もしくは類似の商品もしくは役務を供給している他の事業者に係るものよりも取引の相手方に著しく有利であると一般消費者に誤認される表示であって、不当に顧客を誘引し、一般消費者による自主的かつ合理的な選択を阻害するおそれがあると認められるもの

3号（その他の誤認表示）：前2号に掲げるもののほか、商品または役務の取引に関する事項について一般消費者に誤認されるおそれがある表示であって、不当に顧客を誘引し、一般消費者による自主的かつ合理的な選択を阻害するおそれがあると認めて内閣総理大臣が指定するもの

優良誤認表示とは、「商品または役務の品質、規格その他の内容」について著しく優良であると誤認させる表示である。「商品・役務の価格その他の取引条件」についての不当表示は、同条2号の有利誤認表示に該当する。

イ 〇：正しい。実際には広告であるにもかかわらず、広告であることを隠す、いわゆるステルスマーケティングが、令和5年10月1日から、景品表示法による規制対象とされることとなった（令和5年3月28日内閣府告示第19号）。

いわゆるインフルエンサーと呼ばれる者のインターネット上の動画配信、SNS投稿、新聞・雑誌などへの表示を含め、実質的には広告であるのに、広告ではないと誤認される表示が規制対象である。規制の趣旨は、実際には企業から報酬を受け取って商品や役務を宣伝している実質があっても、一般消費者から見ると、広告宣伝であることが判別できない場合がある。このような一般消費者の消費行動を誤らせるような「一般消費者が事業者の表示であることを判別することが困難である表示」＝ステルスマーケティングを、同法第5条3号の「その他の誤認表示」として

禁止する取扱いとされた。そのような誤認表示をさせた事業主・企業（広告主）が、規制対象とされる。

ウ ✕：景品表示法の定義する「表示」とは、「顧客を誘引するための手段として、事業者が自己の供給する商品または役務の内容または取引条件その他これらの取引に関する事項について行う広告その他の表示であって、内閣総理大臣が指定するものをいう」（同法第2条4項）とされている。この表示は、チラシ、パンフレットやカタログ、商品のパッケージ（包装箱）、新聞・雑誌広告、インターネット上の広告、ポスター・看板、テレビコマーシャル、セールストークなど、広く媒体を通して顧客に届けられるものを含む。同法は、これら表示について、顧客を不当に誘引することがないよう、広く規制を及ぼしており、口頭で行うセールストークで示されるものも、同法による「表示」として規制の対象となる。

エ ✕：不動産の取引に関する広告について、不動産取引業者が、顧客誘引のために行う次の3つの類型の表示を、いわゆる「おとり広告」という。

(1) 取引の申出に係る不動産が存在しないため、実際には取引することができない不動産についての表示（例：実在しない住所・地番を掲載した物件）

(2) 取引の申出に係る不動産は存在するが、実際には取引の対象となり得ない不動産についての表示（例：売約済みの物件）

(3) 取引の申出に係る不動産は存在するが、実際には取引する意思がない不動産についての表示（例：希望者に他の物件を勧めるなど当該物件の取引に応じない場合）

「おとり広告」は、景品表示法第5条3号の「その他の誤認表示」として、規制の対象となる（昭和55年4月12日、公正取引委員会告示第14号）。本肢の事例は、上記(3)に該当し、景品表示法に違反する。

よって、**イ**が正解である。

第23問

消費者契約法の知識を問う問題である。

ア ✕：消費者契約法は、消費者と事業者との間でなされるすべての消費者契約を対象とし、消費者契約の取消し（消費者契約法第4条以下）、消費者の利益を不当に害する条項（事業者の損害賠償責任を免除する条項、消費者の支払う損害賠償額を予定する条項等）の無効（同法第8条以下）を規定している。

同法は、令和5年6月1日に改正施行され、事業者の軽過失に限定して、軽過失に起因する債務不履行により消費者に生じた損害の「一部」について事業者を免責する条項は、有効とされた。しかし、事業者の責任の「全部」を免責する消費者契

約の条項は、事業者の軽過失による場合であっても、消費者契約上、無効である（消費者契約法第8条1項1号）。

イ　〇：正しい。「事業者の債務不履行により生じた消費者の解除権を放棄させ、または当該事業者にその解除権の有無を決定する権限を付与する消費者契約の条項は、無効とする。」（消費者契約法第8条の2）と規定されている。

ウ　✕：「事業者の債務不履行（当該事業者、その代表者またはその使用する者の故意または重大な過失によるものに限る。）により消費者に生じた損害を賠償する責任の一部を免除し、または当該事業者にその責任の限度を決定する権限を付与する条項」は、無効である（消費者契約法第8条1項2号）。

エ　✕：消費者契約法第9条1項は、「次の各号に掲げる消費者契約の条項は、当該各号に定める部分について、無効とする。」と規定し、同条同項1号には、「当該消費者契約の解除に伴う損害賠償の額を予定し、または違約金を定める条項であって、これらを合算した額が、当該条項において設定された解除の事由、時期等の区分に応じ、当該消費者契約と同種の消費者契約の解除に伴い当該事業者に生ずべき平均的な損害の額を超えるもの」は、「当該超える部分」について無効とする。すると、その条項の内容全体が無効とされるのではなく、同号による適正な損害額を「超える部分」が無効とされることになる。

よって、**イ**が正解である。

第24問

民法の不法行為について問う問題である。

ア　✕：民法第709条は「故意または過失によって他人の権利または法律上保護される利益を侵害した者は、これによって生じた損害を賠償する責任を負う。」と規定し、民法第710条は「他人の身体、自由もしくは名誉を侵害した場合または他人の財産権を侵害した場合のいずれであるかを問わず、前条の規定により損害賠償の責任を負う者は、財産以外の損害に対しても、その賠償をしなければならない。」と規定している。いわゆる慰謝料請求権は、不法行為により、財産以外の損害（精神的損害）が発生した場合の損害賠償請求権であるが、被侵害利益には、身体、自由、名誉、財産権が、民法第710条に明記されており、これらへの侵害は、慰謝料請求権発生の原因となる。

イ　✕：民法第715条1項本文は「ある事業のために他人を使用する者は、被用者がその事業の執行について第三者に加えた損害を賠償する責任を負う。」とし、使用者責任を規定する。使用者責任は、被用者が民法第709条の不法行為責任を負うことを前提として、使用者にこれを代わって負担させることを定めており、使用者が

第三者に対して使用者責任を負うことで、直接の不法行為を行った被用者を免責するものではない。そこで、使用者責任が成立する場合でも、被害者は、被用者に対する民法第709条に基づく損害賠償請求をすることができるし、使用者責任を追及することもできる。使用者責任による使用者の損害賠償債務と、被用者の損害賠償債務とは、連帯債務の関係に立つと解されている。

ウ ○：正しい。不法行為に基づく損害賠償請求権は、不法行為の要件を満たした時に発生し、その時から当然に遅滞に陥るとされる（最判昭37.9.4）。そこで、不法行為による損害が発生した時から、被害者による催告を要することなく遅延損害金が発生することとされている。

エ ✕：不法行為による損害賠償請求権の消滅時効を定める民法第724条は「不法行為による損害賠償の請求権は、次に掲げる場合には、時効によって消滅する。①被害者またはその法定代理人が損害および加害者を知った時から3年間行使しないとき。②不法行為の時から20年間行使しないとき。」と規定する。また、民法第724条の2は「人の生命または身体を害する不法行為による損害賠償請求権の消滅時効についての前条第1号の規定の適用については、同号中「3年間」とあるのは、「5年間」とする。」と規定する。①は「知った時」を基準とするので主観的起算点、②は「不法行為の時から」と客観的事実を基準とするので客観的起算点と呼ばれる。不法行為に基づく客観的な消滅時効期間は、不法行為の時から20年である。

よって、**ウ**が正解である。

令和 5 年度 問題

uestions

第1問

　株主総会に関する記述として、最も適切なものはどれか。

ア　株主総会の報告事項及び決議事項について、株主総会における決議及び報告のいずれも省略することが可能となった場合、株主総会の開催を省略することができるため、株主総会議事録の作成も不要となる。

イ　公開会社ではない会社及び公開会社のいずれの会社においても、取締役又は株主が提案した株主総会の目的である事項について、当該提案につき議決権を行使することができる株主の全員から書面又は電磁的方法により同意の意思表示があったときは、当該提案を可決する旨の決議があったものとみなされる。

ウ　公開会社ではない会社においては、株主総会は、株主全員の同意があるときは招集手続を経ることなく開催することができるが、公開会社においては、定款に書面による議決権行使及び電磁的方法による議決権行使に関する定めがあるか否かにかかわらず、株主全員の同意があっても、招集手続を経ることなく株主総会を開催することはできない。

エ　公開会社ではない会社においては、取締役が株主の全員に対して株主総会に報告すべき事項を通知した場合において、当該事項を株主総会に報告することを要しないことについて株主の全員が書面又は電磁的方法により同意の意思表示をしたときは、当該事項の株主総会への報告があったものとみなされるが、公開会社においては、このような株主全員の同意の意思表示があっても、当該事項の株主総会への報告があったものとみなされない。

第2問　★重要★

　監査役会設置会社における取締役及び監査役の株主総会における選任と解任の決議に関する事項の記述として、最も適切なものはどれか。

ア　取締役及び監査役の解任に関する株主総会の決議は、いずれも、定款に定めることにより、議決権を行使することができる株主の議決権の3分の1を有する株主が出席し、出席した当該株主の議決権の過半数をもって行うとすることができる。

イ　取締役及び監査役の解任に関する株主総会の決議は、いずれも、定款に別段の定めがない場合、議決権を行使することができる株主の議決権の過半数を有する株主

が出席し、出席した当該株主の議決権の3分の2以上に当たる多数をもって行わなければならない。

ウ　取締役及び監査役の選任に関する株主総会の決議は、いずれも、定款に定めることにより、議決権を行使することができる株主の議決権の5分の1を有する株主が出席し、出席した当該株主の議決権の過半数をもって行うとすることができる。

エ　取締役及び監査役の選任に関する株主総会の決議は、いずれも、定款に別段の定めがない場合、議決権を行使することができる株主の議決権の過半数を有する株主が出席し、出席した当該株主の議決権の過半数をもって行わなければならない。

第3問

　監査役会設置会社における取締役会の会社法の定めに関する記述として、最も適切なものはどれか。なお、本問における取締役会は特別取締役による取締役会は考慮しないものとする。

ア　会社法上、監査役は、必要があると認めるときは、取締役に対し、取締役会の招集を請求することができるとされているが、いかなる場合においても監査役自らが取締役会を招集することはできないとされている。

イ　会社法上、定款又は取締役会で定めた取締役が取締役会を招集する場合、取締役会の招集通知には、取締役会の日時及び場所並びに取締役会の目的事項を記載しなければならないとされている。

ウ　会社法上、取締役会の招集通知は、各取締役の他に、各監査役に対しても発しなければならないとされている。

エ　会社法上、取締役会の招集通知は、定款で定めることにより、取締役会の日の1週間前までに発する必要はなくなるが、その場合でも取締役会の日の3日前までには発しなければならないとされている。

第4問

　監査役会設置会社における監査役に関する記述として、最も適切なものはどれか。

ア　監査役の報酬は、その額を定款で定めていないときは、取締役会の決議で定めなければならない。

イ　監査役は、当該会社の業務及び財産の状況の調査をすることができる。

ウ　監査役は、当該会社の取締役・使用人、子会社の取締役を兼ねることができない

が、子会社の使用人については兼ねることができる。

エ　監査役は、取締役が法令に違反する行為をするおそれがある場合において、当該行為によって当該会社に著しい損害が生ずるおそれがあるときであっても、監査役会の決議を経なければ、当該行為の差止めを請求することができない。

第5問

　以下の会話は、株式会社の設立を考えている甲氏と中小企業診断士であるあなたとの間で行われたものである。この会話を読んで、下記の設問に答えよ。なお、甲氏は、定款を書面で作成することを考えている。

甲　氏：「これまで、個人で事業を行っていましたが、事業が軌道に乗ってきたので、株式会社を設立したいと思います。新しく設立する会社が発行する株式については、私が引き受ける他に、私の父が設立したX株式会社と私の友人である乙氏にも引き受けてもらうことになっています。ちょっと調べたところ、株式会社を設立する場合には、定款に発起人が署名または記名押印をしなければならないと聞きました。私は発起人になることにしていますが、乙氏も発起人にならなければならないのでしょうか。」

あなた：「　　A　　。」

甲　氏：「ありがとうございます。では、X株式会社は発起人になることはできるのでしょうか。」

あなた：「　　B　　。」

甲　氏：「また、株式会社を設立するに際しては、取締役を選任しなければならないと聞きました。会社法では、私は取締役に必ず就任しなければならないのでしょうか。」

あなた：「　　C　　。」

甲　氏：「定款では、その設立時取締役の定めはしない予定なのですが、この場合、設立時取締役というのは、どのような手続で選任することになるのでしょうか。」

あなた：「　　D　　。」

甲　氏：「いろいろとありがとうございます。分からないことがあったら、またお伺いします。」

あなた：「お気軽にご相談ください。必要があれば、知り合いの弁護士を紹介します。」

49

　会話の中の空欄ＡとＢに入る記述の組み合わせとして、最も適切なものは
どれか。

ア　A：発起設立、募集設立のいずれの場合でも、乙氏は発起人にならなければな
　　　　りません
　　　B：X株式会社は法人なので、発起人になることはできません

イ　A：発起設立、募集設立のいずれの場合でも、乙氏は発起人にならなければな
　　　　りません
　　　B：法人も発起人になることができますので、X株式会社も発起人になること
　　　　ができます

ウ　A：発起設立によって株式会社を設立する場合には乙氏は発起人にならなけれ
　　　　ばなりませんが、募集設立によって株式会社を設立する場合には、必ずし
　　　　も乙氏は発起人になる必要はありません
　　　B：X株式会社は法人なので、発起人になることはできません

エ　A：発起設立によって株式会社を設立する場合には乙氏は発起人にならなけれ
　　　　ばなりませんが、募集設立によって株式会社を設立する場合には、必ずし
　　　　も乙氏は発起人になる必要はありません
　　　B：法人も発起人になることができますので、X株式会社も発起人になること
　　　　ができます

　会話の中の空欄ＣとＤに入る記述の組み合わせとして、最も適切なものは
どれか。なお、定款では設立時取締役として定められた者はいないものとす
る。

ア　C：いいえ。設立時取締役は必ずしも発起人でなくてもよいので、必ずしも甲
　　　　氏が設立時取締役になる必要はありません
　　　D：発起設立、募集設立のいずれの場合も、発起人全員の同意によって選任す
　　　　ることになります

イ　C：いいえ。設立時取締役は必ずしも発起人でなくてもよいので、必ずしも甲
　　　　氏が設立時取締役になる必要はありません
　　　D：発起設立の場合は、発起人の議決権の過半数により、募集設立の場合は、
　　　　創立総会の決議によって選任することになります

ウ　C：はい。甲氏は発起人ですので、必ず設立時取締役にならなければなりません

　　　D：発起設立の場合は、発起人全員の同意により、募集設立の場合は、創立総会の決議によって選任することになります

エ　C：はい。甲氏は発起人ですので、必ず設立時取締役にならなければなりません

　　　D：発起設立の場合は、発起人の議決権の過半数により、募集設立の場合は、創立総会の決議によって選任することになります

第6問　　★重要★

　以下の会話は、X株式会社の代表取締役である甲氏と、中小企業診断士であるあなたとの間で行われたものである。この会話を読んで、下記の設問に答えよ。

　なお、本問における吸収合併の手続においては、X株式会社を消滅会社とすることを念頭に置いている。

甲　氏：「このたび、X株式会社の事業の全部を譲渡することを考えており、譲渡先を探していたところ、取引先であるY株式会社から、X株式会社の事業の全部を譲り受けてもよいという話がありました。知人に聞いたところ、X株式会社の事業の全部をY株式会社に移管する方法としては、事業譲渡の他に吸収合併という方法もあるという話をしていました。取引先への商品代金の支払債務について、事業譲渡と吸収合併によって違いはあるのでしょうか。」

あなた：「　　A　　。」

甲　氏：「なるほど。ありがとうございます。では、吸収合併と事業譲渡で、Y株式会社から受け取る対価に違いはあるのでしょうか。」

あなた：「　　B　　。」

甲　氏：「では、Y株式会社に吸収合併又は事業譲渡ですべての事業を移管した場合、X株式会社はどうなるのでしょうか。」

あなた：「　　C　　。」

甲　氏：「なかなか悩ましいですね。実は、Y株式会社の他に、私の知人である乙氏からX株式会社の事業の全部を承継してもよいという話も聞いています。乙氏は会社を設立しておらず、個人で事業を行っているのですが、事業譲渡や吸収合併は、相手先が会社でなくてもすることができるのでしょうか。」

51

あなた：「␣␣␣␣D␣␣␣␣。」

甲　氏：「分かりました。今日のお話を踏まえ、スキームを検討します。また、ご相談させてください。」

あなた：「必要があれば、弁護士を紹介しますので、お気軽にご相談ください。」

設問1 ● ● ●

　会話の中の空欄AとBに入る記述の組み合わせとして、最も適切なものはどれか。

ア　A：吸収合併、事業譲渡いずれの場合でも、X株式会社の債務は当然にY株式会社に承継されます

　　B：吸収合併、事業譲渡のいずれの対価も金銭に限られません

イ　A：吸収合併の場合は、X株式会社の債務は当然にY株式会社に承継されますが、事業譲渡の場合には、債権者の承諾を得なければ、X株式会社の債務をY株式会社に承継させて、X株式会社がその債務を免れるということはできません

　　B：吸収合併、事業譲渡のいずれの対価も金銭に限られません

ウ　A：吸収合併の場合は、X株式会社の債務は当然にY株式会社に承継されますが、事業譲渡の場合には、債権者の承諾を得なければ、X株式会社の債務をY株式会社に承継させて、X株式会社がその債務を免れるということはできません

　　B：吸収合併の対価はY株式会社の株式であることが必要ですが、事業譲渡の対価はY株式会社の株式に限られず、金銭によることも可能です

エ　A：吸収合併の場合は、X株式会社の債務は当然にY株式会社に承継されますが、事業譲渡の場合には、債権者の承諾を得なければ、X株式会社の債務をY株式会社に承継させて、X株式会社がその債務を免れるということはできません

　　B：吸収合併の対価は金銭であることが必要ですが、事業譲渡の対価は金銭に限られません

設問2 ● ● ●

　会話の中の空欄CとDに入る記述の組み合わせとして、最も適切なものはどれか。

ア　C：吸収合併、事業譲渡のいずれの場合も、X株式会社は当然に解散します

　　D：吸収合併、事業譲渡のいずれの場合も、相手先は会社である必要があります

イ　C：吸収合併、事業譲渡のいずれの場合も、X株式会社は当然に解散します

　　D：吸収合併の場合は、相手先は会社である必要がありますが、事業譲渡の場合は相手先が会社である必要はありません

ウ　C：吸収合併、事業譲渡のいずれの場合も、X株式会社は当然には解散しません

　　D：吸収合併、事業譲渡のいずれの場合も、相手先は会社である必要があります

エ　C：吸収合併の場合は、X株式会社は当然に解散しますが、事業譲渡の場合は当然には解散しません

　　D：吸収合併の場合は、相手先は会社である必要がありますが、事業譲渡の場合は相手先が会社である必要はありません

第7問

独占禁止法が定める課徴金減免制度に関する記述として、最も適切なものはどれか。

なお、令和2年12月25日改正後の制度によるものとし、本問においては、いわゆる調査協力減算制度における協力度合いに応じた減算率は考慮しないものとする。

ア　課徴金減免制度における申請方法は、所定の報告書を公正取引委員会に郵送又は持参することにより提出する方法に限られ、電話により口頭で伝える方法や電子メールにより所定の報告書を送信する方法は認められていない。

イ　課徴金減免制度の対象は、いわゆるカルテルや入札談合といった不当な取引制限行為の他に、優越的地位の濫用行為も含まれる。

ウ　調査開始後に課徴金減免申請を行った場合、調査開始前に課徴金減免申請を行った者がおらず、かつ、調査開始後の課徴金減免申請の申請順位が1位の場合であっても、申請順位に応じた課徴金の減免を一切受けることはできない。

エ　調査開始前に単独で課徴金減免申請を行い、その申請順位が1位の場合、申請順位に応じた減免率は100％（全額免除）である。

第8問

民事再生手続における双務契約の取り扱いに関する記述として、最も適切なものはどれか。なお、別段の意思表示はないものとする。

ア　再生債務者に対して売買契約に基づき継続的給付の義務を負う双務契約の相手方は、再生手続開始決定の申立て前の給付に係る再生債権について、弁済がないことを理由として、再生手続開始後は、その義務の履行を拒むことができない。

イ　再生手続開始前に再生債務者の債務不履行により解除権が発生していたとしても、相手方は、再生手続開始後は当該契約を解除することができない。

ウ　注文者につき再生手続開始決定があった場合、請負人は、再生手続開始決定があったことを理由に当該請負契約を解除することができる。

エ　賃貸人につき再生手続開始決定があった場合、賃借人が対抗要件を具備していたとしても、賃貸人は、双方未履行の双務契約であることを理由に当該賃貸借契約を解除することができる。

第9問　★重要★

特許法に関する記述として、最も適切なものはどれか。

ア　物の発明において、その物を輸出する行為は、その発明の実施行為に該当しない。

イ　物の発明において、その物を輸入する行為は、その発明の実施行為に該当しない。

ウ　物を生産する装置の発明において、その装置により生産した物を譲渡する行為は、その発明の実施行為に該当しない。

エ　物を生産する方法の発明において、その方法を使用する行為は、その発明の実施行為に該当しない。

第10問　★重要★

特許法及び実用新案法に関する記述として、最も適切なものはどれか。

ア　国内優先権制度は、特許法と実用新案法のいずれにも規定されている。

イ　出願公開制度は、特許法と実用新案法のいずれにも規定されている。

ウ　不実施の場合の通常実施権の設定の裁定制度は、特許法には規定されているが、実用新案法には規定されていない。

エ　物を生産する方法は、特許法上の発明と、実用新案法上の考案のいずれにも該当する。

第11問　★重要★

特許法に関する記述として、最も適切なものはどれか。

ア　特許権が共有に係るときは、各共有者は、他の共有者の同意を得なくても、その持分を譲渡することができる。

イ　特許権が共有に係るときは、各共有者は、他の共有者の同意を得なければ、その特許権について他人に通常実施権を許諾することができない。

ウ　特許を受ける権利が共有に係るときは、各共有者は、特許法第38条の規定により、他の共有者と共同でなくとも、特許出願をすることができる。

エ　特許を受ける権利が共有に係るときは、各共有者は、他の共有者の同意を得なくても、その特許を受ける権利に基づいて取得すべき特許権について、仮専用実施権を設定することができる。

第12問　★重要★

不正競争防止法に関する記述として、最も適切なものはどれか。

ア　不正競争防止法第2条第1項第1号に規定する、いわゆる周知表示混同惹起行為において、「商品の包装」は「商品等表示」に含まれない。

イ　不正競争防止法第2条第1項第2号に規定する、いわゆる著名表示冒用行為と認められるためには、他人の商品又は営業と混同を生じさせることが1つの要件となる。

ウ　不正競争防止法第2条第1項第4号乃至第10号に規定される営業秘密に該当するには、秘密管理性、独創性、新規性の3つの要件を満たすことが必要である。

エ　不正競争防止法第2条第1項各号でいう「不正競争」として、「競争関係にある他人の営業上の信用を害する虚偽の事実を告知し、又は流布する行為」が同法に規定されている。

第13問　★重要★

商標法に関する記述として、最も適切なものはどれか。

ア　商標登録出願人は、商標登録出願を意匠登録出願に変更することができる旨が、商標法に規定されている。

イ　商標法には出願公開制度が規定されている。

ウ　商標法の目的を規定した商標法第1条は、商標を保護することにより、商標の使

用をする者の業務上の信用の維持を図ることを目的として規定しており、需要者の利益を保護することまでは目的として規定していない。

エ　防護標章登録出願人は、査定又は審決が確定した後でもその防護標章登録出願を商標登録出願に変更することができる旨が、商標法に規定されている。

第14問　★重要★

以下の会話は、衣服メーカーの社長である甲氏と、中小企業診断士であるあなたとの間で行われたものである。

この会話の中の空欄ＡとＢに入る語句の組み合わせとして、最も適切なものを次ページの解答群から選べ。

甲　氏：「当社開発部が今までにない毛玉取り器の開発に成功したため、半年前に実用新案登録出願をして、実質的に無審査なのですぐに実用新案登録されました。最近、この毛玉取り器が結構、話題になって、当社の主力商品になりつつあります。実用新案権は存続期間が短いので、特許を取りたいのですが、何かよい方法はありませんか。」

あなた：「確かに、特許権の存続期間は、原則として、特許法上　Ａ　から20年と権利が長いですから、特許を取った方がベターですよね。自己の実用新案登録に基づいて特許出願をすることができる、と聞いたことがあります。いろいろと要件はあるようですが、１つの要件として、その実用新案登録に係る実用新案登録出願の日から原則として、　Ｂ　を経過していると、実用新案登録に基づく特許出願はできません。その手続きをされる場合には、知り合いの弁理士さんを紹介できますよ。」

甲　氏：「よろしくお願いします。」

［解答群］
ア　Ａ：特許権の設定登録の日　　　Ｂ：18カ月
イ　Ａ：特許出願が出願公開された日　Ｂ：18カ月
ウ　Ａ：特許出願の日　　　　　　　Ｂ：１年
エ　Ａ：特許出願の日　　　　　　　Ｂ：３年

第15問　★重要★

以下の会話は、英会話スクールを立ち上げる予定の甲氏と、中小企業診断士

であるあなたとの間で行われたものである。

　この会話の中の空欄ＡとＢに入る記述の組み合わせとして、最も適切なものを次ページの解答群から選べ。

甲　氏：「英会話スクールの名前である「○○○○○」という文字商標を、「語学の教授」という役務を指定して商標登録出願する予定です。この他に「翻訳、通訳」の業務も行う予定なので、スクール名と同じ「○○○○○」の商標を「翻訳、通訳」の役務を指定して商標登録出願したいと思います。これらの役務を１つの商標登録出願に含めることは可能ですか。」

あなた：「　　Ａ　　。」

・・・中略・・・

甲　氏：「この他、うちのスクールの宣伝として流すオリジナルのメロディーを、私が作曲しました。これも商標として登録することは認められますか。」

あなた：「　　Ｂ　　。」

・・・中略・・・

あなた：「いずれにしても弁理士をご紹介しますので、詳しくはその方にお尋ねになってください。」

問題

5
年
度

［解答群］

ア　Ａ：商標が同じであっても、複数の役務を１つの出願に含めることはできません

　　Ｂ：音からなる商標を登録することは、制度上認められています

イ　Ａ：商標が同じであっても、複数の役務を１つの出願に含めることはできません

　　Ｂ：音からなる商標を登録することは、制度上認められません

ウ　Ａ：商標が同じであれば、複数の役務を１つの出願に含めることができます

　　Ｂ：音からなる商標を登録することは、制度上認められています

エ　Ａ：商標が同じであれば、複数の役務を１つの出願に含めることができます

　　Ｂ：音からなる商標を登録することは、制度上認められません

第16問

　以下の会話は、Ｘ株式会社の代表取締役である甲氏と、中小企業診断士であるあなたとの間で行われたものである。この会話を読んで、下記の設問に答え

よ。

甲　氏：「弊社は、米国ニューヨーク市に本拠を置くY社から商品を輸入し、国内で
　　　　販売しようと考えています。それに当たって、Y社から届いた契約書案を
　　　　検討しているのですが、以下の条項はどのような内容でしょうか。」

　　　　1. This Agreement shall be governed by and construed in accordance
　　　　with the laws of the state of New York, the United States of America,
　　　　without reference to conflict of laws principle.

　　　　2. All dispute arising out of or in connection with this Agreement,
　　　　including any question regarding its existence, validity or termination,
　　　　shall be referred to and finally resolved by arbitration in New York
　　　　City, New York, the United States of America by the American
　　　　Arbitration Association in accordance with the Arbitration Rules of
　　　　the American Arbitration Association.

あなた：「1項は　　A　　を定めており、2項は　　B　　を規定しております。御社は
　　　　日本でY社から輸入した商品を販売されるとのことですので、準拠法は日
　　　　本法で提案するのはいかがでしょうか。」

甲　氏：「ありがとうございます。その点については、Y社と交渉しようと思います。
　　　　裁判と仲裁はどのような違いがあるのでしょうか。」

あなた：「それぞれメリット・デメリットがありますので、その点も含めて、知り合
　　　　いの弁護士を紹介しますので、相談に行きませんか。」

甲　氏：「ぜひ、よろしくお願いします。」

設問1 ● ● ●
　　会話の中の空欄AとBに入る記述として、最も適切なものはどれか。

　ア　A：本契約がアメリカ合衆国ニューヨーク州法に準拠し、同法に従って解釈さ
　　　　　れること
　　　B：本契約から、または本契約に関連して発生するすべての紛争はニューヨー
　　　　　ク市における米国仲裁協会による仲裁に付託され、最終的に解決されるこ
　　　　　と

　イ　A：本契約がアメリカ合衆国ニューヨーク州法に準拠し、同法に従って解釈さ
　　　　　れること
　　　B：本契約から、または本契約に関連して発生するすべての紛争はニューヨー

ク市の連邦地方裁判所の管轄に属すること

ウ　A：本契約がアメリカ合衆国の連邦法に準拠し、同法に従って解釈されること

　　B：本契約から、または本契約に関連して発生するすべての紛争はニューヨー
　　　　ク市における米国仲裁協会による仲裁に付託され、最終的に解決されるこ
　　　　と

エ　A：本契約がアメリカ合衆国の連邦法に準拠し、同法に従って解釈されること

　　B：本契約から、または本契約に関連して発生するすべての紛争はニューヨー
　　　　ク市の連邦地方裁判所の管轄に属すること

設問2 ● ● ●

　会話の中の下線部の裁判と仲裁に関する記述として、最も適切なものはど
れか。なお、本設問における裁判と仲裁に関する記述は、日本法を前提に考
えるものとする。

ア　外国仲裁判断の承認および執行に関するニューヨーク条約の加盟国でなされた
　仲裁判断については、原則として、その加盟国において執行することができる。

イ　裁判と仲裁は、双方とも原則公開の手続きであり、その判断は公開される。

ウ　仲裁は、裁判のように勝ち負けを決めるのではなく、話合いによりお互いが合
　意することで紛争の解決を図るもので、合意ができなかった場合には不成立とな
　る。

エ　仲裁は、仲裁判断に不服がある場合、原則裁判所に不服申立てをすることができ
　る。

第17問

　以下は、中小企業診断士であるあなたと、Ｘ株式会社の代表取締役甲氏との
会話である。この会話を読んで、下記の設問に答えよ。なお、甲氏には、長男、
次男、長女の3人の子ども（いずれも嫡出子）がいる。

甲　氏：「そろそろ後継者に会社を任せようと思っています。私には3人の子供がい
　　　　るのですが、次男に自社の株式や事業用の資産を集中して承継させたく、
　　　　生前贈与等を考えています。」

あなた：「原則として、ご自身の財産をどのように処分するのも自由ですが、民法は、
　　　　遺族の生活の安定や最低限度の相続人間の平等を確保するために、一定の
　　　　相続人のために法律上必ず留保されなければならない遺産の一定割合を定

59

めております。この制度を　　　　といい、生前贈与や遺言の内容によって
は、株式や事業用資産を承継したご次男が、他の相続人の　　　　を侵害し
たとして、その侵害額に相当する金銭の支払を請求される可能性がありま
す。場合によっては、承継した株式や事業用資産を売却せざるをえない事
態もありえますので、注意が必要です。」

甲　氏：「将来もめずにうまく会社を引き継ぐ方法はないですか。」

あなた：「中小企業における経営の承継の円滑化に関する法律、いわゆる経営承継円
滑化法に、民法の特例が設けられています。先代経営者から後継者に贈与
等された自社株式について、<u>一定の要件を満たしていることを条件に、</u>
　　　　の算定の基礎となる相続財産から除外するなどの取り決めが可能で
す。これにより、後継者が確実に自社株式を承継することができます。必
要があれば、知り合いの弁護士を紹介します。」

設問1　● ● ●　　★重要★

会話の中の空欄に入る用語として、最も適切なものはどれか。

ア　遺留分
イ　寄与分
ウ　指定相続分
エ　法定相続分

設問2　● ● ●

会話の中の下線部について、経営承継円滑化法における民法の特例に関す
る記述として、最も適切なものはどれか。

ア　経営承継円滑化法における民法の特例を受けることができるのは、中小企業者
のみで、個人事業主の場合は、この特例を受けることはできない。

イ　経営承継円滑化法における民法の特例を受けるためには、会社の先代経営者か
らの贈与等により株式を取得したことにより、後継者は会社の議決権の3分の1
を保有していれば足りる。

ウ　経営承継円滑化法における民法の特例を受けるためには、経済産業大臣の確認
と家庭裁判所の許可の双方が必要である。

エ　経営承継円滑化法における民法の特例を受けるためには、推定相続人全員の合
意までは求められておらず、過半数の合意で足りる。

第18問

製造物責任に関する記述として、最も適切なものはどれか。

ア　外国から輸入した製品の欠陥により損害が発生した場合、輸入事業者は製造物責任法による損害賠償責任を負わない。

イ　製造物責任法は、過失責任が原則である民法の不法行為責任（民法第709条）の特例として定められたもので、製造業者等の過失や、過失と欠陥の因果関係の証明に代えて、被害者が製品に欠陥があることと、その欠陥と損害との因果関係を証明すれば、損害賠償を請求できるようにしたものである。

ウ　製造物の欠陥によって、他人の財産等に損害が発生しておらず、製造物自体に損害が発生したのみであっても、製造業者は製造物責任法による損害賠償責任を負う。

エ　製品の製造は行わず、製造物にその製造業者と誤認させるような氏名の表示をしただけの者は、製造物責任法による損害賠償責任を負わない。

第19問

不当景品類及び不当表示防止法（以下「景表法」という。）で定義される表示に関する記述として、最も適切なものはどれか。

ア　景表法上、比較広告を行うことは一律禁止されている。

イ　消費者庁長官から、表示の裏付けとなる合理的な根拠を示す資料の提出を求められ、当該資料を提出しなかった場合、景表法に違反する表示とみなされる。

ウ　商品の品質に関して不当表示が行われた場合、景表法の規制対象となるのは不当な表示を行った事業者であって、その表示内容の決定に関与しただけの事業者は、景表法の規制対象とはならない。

エ　優良誤認表示及び有利誤認表示に該当するには、表示をした事業者の故意又は過失が必要である。

第20問　★重要★

共有に関する記述として、最も適切なものはどれか。なお、別段の意思表示はないものとする。

ア　意匠権の各共有者は、その登録意匠をその持分に応じて実施をすることができる。

イ　商標権の各共有者は、他の共有者の同意を得なくてもその持分を譲渡することができる。

ウ　著作権の各共有者は、自ら複製等の著作権の利用をする場合でも、他の共有者全員の同意が必要である。

エ　不動産の各共有者は、共有物の全部について、自己の持分に関係なく使用をすることができる。

第21問

　相殺に関する記述として、最も適切なものはどれか。なお、別段の意思表示はないものとする。

ア　差押えを受けた債権の第三債務者は、差押え前から有していた差押債務者に対する債権を自働債権とする相殺をもって差押債権者に対抗することができない。

イ　相殺の意思表示は、双方の債務が互いに相殺に適するようになった時にさかのぼってその効力を生ずる。

ウ　不法行為から生じた債権を自働債権として相殺することはできない。

エ　弁済期が到来していない債権の債務者は、その債権を受働債権として相殺することができない。

令和 **5** 年度
解答・解説

nswers

令和 **5** 年度
解答

問題	解答	配点	正答率※
第1問	イ	4	B
第2問	エ	4	B
第3問	ウ	4	C
第4問	イ	4	A
第5問 (設問1)	エ	4	C
第5問 (設問2)	イ	4	B
第6問 (設問1)	イ	4	B
第6問 (設問2)	エ	4	A
第7問	エ	4	D

問題	解答	配点	正答率※
第8問	ア	4	E
第9問	ウ	4	B
第10問	ア	4	B
第11問	イ	4	A
第12問	エ	4	B
第13問	イ	4	B
第14問	エ	4	B
第15問	ウ	4	B
第16問 (設問1)	ア	4	A

問題	解答	配点	正答率※
第16問 (設問2)	ア	4	E
第17問 (設問1)	ア	4	A
第17問 (設問2)	ウ	4	B
第18問	イ	4	C
第19問	イ	4	B
第20問	ウ	4	B
第21問	イ	4	D

※TACデータリサーチによる正答率
　正答率の高かったものから順に、A～Eの5段階で表示。
A：正答率80%以上　　　　　B：正答率60%以上80%未満　　　C：正答率40%以上60%未満
D：正答率20%以上40%未満　　E：正答率20%未満

※解答・配点は一般社団法人日本中小企業診断士協会連合会の発表に基づくものです。

令和 **5** 年度
解説

解答・解説

5年度

第1問

　株主総会の決議や招集手続に関する知識を問う問題である。

ア　✗：会社法は、株主総会の報告事項や決議事項について省略することができる場合として、次のような規定を置いている。まず、①取締役または株主が株主総会の目的である事項（報告事項および決議事項）について提案をした場合において、その事項につき議決権を行使することができる株主の全員が、書面または電磁的記録により同意の意思表示をしたときは、その事項について可決する旨の決議があったものとみなされる（会社法第319条1項）。また、これにより、定時株主総会の目的である事項のすべてについての提案を可決する旨の株主総会の決議があったものとみなされる場合には、その時に定時株主総会が終結したものとみなされる（同条5項）。

　次に、②取締役が、株主の全員に対して株主総会に報告すべき事項を通知した場合において、その事項を株主総会に報告することを要しないことにつき、株主全員が書面または電磁的記録により同意の意思表示をしたときは、その事項の株主総会への報告があったとみなして、株主総会を省略できることを認めている（会社法第320条）。しかし、上記①②の場合のように、株主総会の開催を省略できる場合であっても、会社は、法務省令（会社法施行規則）で定めるところにより、書面または電磁的記録によって、株主総会の議事録を作成し、備え置かなければならない（会社法第318条1項、2項）。この場合、会社は、a）株主総会の決議があったものとみなされた事項の内容、b）決議があったとみなされた日、c）議事録の作成にかかる職務を行った取締役の氏名等を内容とする議事録を作成しなければならないとされている（会社法施行規則第72条4項）。

　したがって、株主総会の開催を省略できる場合であっても、株主総会議事録の作成は必要である。

イ　○：正しい。選択肢**ア**の解説中の①で述べたとおり、株主総会において、取締役または株主が提案した株主総会の目的である事項について、当該提案について議決権を行使できる株主の全員から書面または電磁的方法により同意の意思表示があったときは、当該提案を可決する旨の決議があったものとみなされる（会社法第319条1項）。同条同項は、株式譲渡制限会社と公開会社を区別しておらず、いずれの会社においても、決議の省略が認められる。

ウ　✗：株主総会は、株主全員の同意があるときは、招集手続を経ることなく開催す

ることができる（会社法第300条本文）。ただし、定款に書面による議決権行使および電磁的方法による議決権行使に関する定めがある場合には、招集手続を省略することはできない（同条ただし書、会社法第298条１項３号、４号）。この招集手続に関する規定は、株式譲渡制限会社においても、公開会社においても、異ならない。

エ　×：選択肢**ア**の解説中の②で述べたとおり、取締役が、株主の全員に対して株主総会に報告すべき事項を通知した場合において、その事項を株主総会に報告することを要しないことにつき、株主全員が書面または電磁的記録により同意の意思表示をしたときは、その事項の株主総会への報告があったとみなされる（会社法第320条）。この報告事項を省略することができる規定は、株式譲渡制限会社においても、公開会社においても、異ならない。

よって、**イ**が正解である。

<h2>第2問</h2>

監査役会設置会社における取締役および監査役の選任と解任について、知識を問う問題である。監査等委員会設置会社の監査等委員（注：取締役である）の場合、解任は株主総会の特別決議となるが、本問は「監査役会設置会社」を前提としているため、これを考慮する必要はない（監査等委員会設置会社では、監査役自体を設置することができないため）。

株主総会の決議は、定款に別段の定めがある場合を除き、議決権を行使することができる株主の議決権の過半数を有する株主が出席し（定足数）、出席した当該株主の議決権の過半数をもって行う（普通決議）のが原則である（会社法第309条１項）。定足数については、定款に定めることによって、原則として任意に定めることができる。しかし、役員を選任および解任する場合の株主総会の定足数は、議決権を行使できる株主の議決権の３分の１を下回ることができない（会社法第341条）。

そこで、取締役および監査役の選任と解任についての株主総会の定足数は、原則として議決権を行使することができる株主の議決権の過半数が必要であり、定款に定めることによって、定足数を３分の１まで軽減することができるということになる。

このことから、定足数に関する記述として、「議決権を行使することができる株主の議決権の５分の１を有する株主が出席」と述べている選択肢**ウ**を消去できる。

次に、取締役の選任および解任は、株主総会の普通決議によってなされる（会社法第329条１項、339条１項）。これに対し、監査役については、選任は取締役と同様に、株主総会普通決議によってなされる（会社法第329条１項）が、解任については株主総会特別決議（出席した株主の議決権の３分の２以上）によることが必要である（会社法第343条４項、309条２項７号）。

そこで、本問では、監査役の解任について普通決議で行うことができるとしている選択肢**ア**、取締役の解任について特別決議を要するとする選択肢**イ**も消去できる。

　残った選択肢**エ**は、取締役および監査役の選任に関する株主総会の決議について、定足数は「定款に別段の定めがない場合、議決権を行使することができる株主の議決権の過半数を有する株主が出席」し、議決要件として「出席した当該株主の議決権の過半数をもって行わなければならない」と普通決議による旨を記述しており、最も適切となる。

　よって、**エ**が正解である。

第3問

　監査役会設置会社における取締役会の招集について、会社法の知識を問う問題である。

ア ✕：会社法上、監査役は、取締役が不正の行為をし、もしくはそのおそれがあると認めるとき、または法令もしくは定款に違反する事実もしくは著しく不当な事実があると認める場合において、必要があると認めるときは、取締役会の招集を請求し、その請求があった日から5日以内に、その請求があった日から2週間以内の日を取締役会の日とする取締役会招集の通知が発せられない場合は、その請求をした監査役自らが取締役会を招集することができる（会社法第382条、383条2項、3項）。

　ちなみに、この監査役自らによる取締役会招集は、特別取締役による取締役会には適用されない（同条4項）。特別取締役とは、取締役の数が6人以上で、そのうち1人以上が社外取締役である取締役会設置会社では、あらかじめ3人以上の特別取締役を選定することができ、特別取締役による取締役会決議により、重要な財産の処分・譲受けと多額の借財の決定を行うことができる（会社法第373条）。この特別取締役による取締役会の招集については、監査役自らが行うことはできないが、本問における取締役会は、特別取締役による取締役会は考慮しないとされているので、原則どおり、監査役自らが取締役会を招集することができる、と結論づけてよい。

イ ✕：株主総会の招集通知には、必要事項を記載し（会社法第299条4項）、株主総会の日時、場所（会社法第298条1項1号）、目的たる事項（同条同項2号）も示す必要がある。これに対し、取締役会の招集通知は、株主総会のそれとは異なり、任意の方法で発すればよく、会議の目的事項等を特定して行う必要はない。取締役は、経営のプロとして、臨機応変に議事に対応すべきだから、事前に議題を特定することは不要である。

ウ 〇：正しい。取締役会を招集する者は、取締役会の日の1週間（これを下回る期

間を定款で定めた場合にあっては、その期間）前までに、各取締役（監査役設置会社にあっては、各取締役および各監査役）に対してその通知を発しなければならない（会社法第368条１項）。取締役会の招集通知を監査役に対しても発しなければならないのは、監査役は、取締役会に出席する義務があり、必要があると認めるときは、意見を述べなければならない（会社法第383条１項本文）からである。ただし、例外として、特別取締役による取締役会には、監査役の全員が出席する必要はないとされている（会社法第383条１項ただし書）が、本問では特別取締役による取締役会について考慮する必要はない。

エ ✕：取締役会を招集するには、原則として、会日から１週間前に各取締役等に招集通知を発しなければならない（会社法第368条１項）。しかし、１週間を下回る期間を定款で定めた場合にあっては、その期間による。この「下回る期間」には、特に「取締役会の日の３日前まで」に発しなければならない、という制限はない。

よって、**ウ**が正解である。

第４問

監査役会設置会社における監査役について問う問題である。

ア ✕：監査役の報酬が、取締役会の決議で定められるとすれば、報酬の側面から監査役の独立性が害されることになる。そこで、会社法は、監査役の報酬は、定款または株主総会決議（普通決議）によって定めなければならないと規定している（会社法第387条１項）。

イ 〇：正しい。監査役は、会社の会計監査および業務監査について、監査権限を有する。そこで、監査役は、いつでも、取締役、会計参与、支配人その他の使用人に対して、事業の報告を求め、または自ら会社の業務および財産の状況の調査をする権限を有する（会社法第381条２項）。例外として、株式譲渡制限会社（監査役会設置会社および会計監査人設置会社を除く。）では、定款に定めることにより、監査役の監査権限の範囲を、会計監査に限定することができ（会社法第389条１項、会計監査限定監査役）、その場合には、監査役の調査権は会計に関するものに限定される。しかし、本問では、監査役会設置会社における監査役であることを前提としているため、会計監査限定監査役を考慮する必要はない。そこで、原則どおり、監査役は業務および財産の調査権限を有し、これらの状況の調査をすることができる。

ウ ✕：監査役の独立性を担保するため、「監査役は、株式会社もしくはその子会社の取締役もしくは支配人その他の使用人または当該子会社の会計参与（会計参与が法人であるときは、その職務を行うべき社員）もしくは執行役を兼ねることができない（会社法第335条２項）。」とされている。よって、監査役は、子会社の使用人

についても兼任することはできない。

エ ✕：監査役は、取締役が、監査役設置会社の目的の範囲外の行為その他法令もしくは定款に違反する行為をし、またはこれらの行為をするおそれがある場合において、当該行為によって当該監査役設置会社に著しい損害が生ずるおそれがあるときは、当該取締役に対し、当該行為をやめることを請求することができる（会社法第385条1項）。同条同項は、これらの場合に、監査役会設置会社にあっても、監査役会の決議を経ることを要件とはしていない。これは、監査役は、独任制の機関であり、たとえ監査役が数人ある場合であっても、各自が独立して監査権限を行使する、との原則に基づく。監査役会が置かれた場合には、監査役会は、監査の方針、監査役の職務の執行に関する事項を決定することができるが、その場合でも、各監査役の職務の執行を妨げることはできない（会社法第390条2項柱書ただし書、同項3号）とされているので、取締役の違法行為等の差止め請求について、監査役会の決議を経ることを要件とすることはできない。

よって、**イ**が正解である。

第5問

株式会社の設立について問う問題である。

設問1 ● ● ●

　株式会社の設立には、発起設立と募集設立がある。発起設立とは、株式会社の設立に際して発行する株式の全部を発起人が引き受けて設立することをいう。これに対し、募集設立とは、発起人が株式の一部を引き受け、残余の株式については新たに発起人以外で株式を引き受ける者（「株式引受人」という。）を募集して設立することをいう（会社法第25条1項1号、2号）。

　本問において、乙氏が設立される株式会社の株式を引き受ける場合であっても、募集設立の方法によって設立する場合には、必ずしも乙氏は発起人になる必要はない。そこで、空欄Aには、「発起設立によって株式会社を設立する場合には乙氏は発起人にならなければなりませんが、募集設立によって株式会社を設立する場合には、必ずしも乙氏は発起人になる必要はありません」との記述が入る。

　発起人の資格は、特に要件は問われず、自然人でも法人でも発起人になることができる。そこで、空欄Bには、「法人も発起人になることができますので、X株式会社も発起人になることができます」との記述が入る。

　よって、**エ**が正解である。

　設立時取締役とは、株式会社の設立に際して、取締役となる者をいい、必ずしも発起人に限定されない（会社法第38条1項）。

　まず、設立に際して、定款で設立時取締役を定めた場合には、設立時取締役は、出資の履行が完了した時に、設立時取締役に選任されたものとみなされる（会社法第38条4項）。

　これに対し、定款で設立時取締役を定めない場合に、発起設立の方法によるときは、発起人は、出資の履行が完了した後、遅滞なく、設立時取締役を選任しなければならず、これは発起人の議決権の過半数をもって決定される（会社法第38条1項、40条1項）。募集設立の方法によるときは、創立総会の決議によって、設立時取締役を選任しなければならない（会社法第88条1項）。

　本問の場合、定款で設立時取締役を定めていないので、誰を設立時取締役に選任するかは、発起人の決定または創立総会の決議によって自由に決めることができる。

　そこで、空欄Cには「いいえ。設立時取締役は必ずしも発起人でなくてもよいので、必ずしも甲氏が設立時取締役になる必要はありません」との記述が入る。また、空欄Dには、「発起設立の場合は、発起人の議決権の過半数により、募集設立の場合は、創立総会の決議によって選任することになります」との記述が入る。

　よって、**イ**が正解である。

第6問

吸収合併と事業譲渡の比較について問う問題である。

設問1 ● ● ●

　吸収合併と事業譲渡は、ともに事業用財産の重要な部分を他社（者）に承継、移転する点で共通する手法である。殊に、本問のようなX株式会社の事業の「全部」を他社（者）が譲り受ける場合には、いずれも経済的実質としては共通する側面が多い。ただし、両者には次のような相違点がある。

(1) 債務の移転について

　吸収合併の場合、消滅する株式会社が有していた権利義務のすべてが包括的に存続会社に移転する（会社法第2条27号）。したがって、消滅会社の債務も、当然に存続会社に移転することとなる。取引先への商品代金の支払債務についても、当然に存続会社に移転し、存続会社が債務者となる。この場合の債権者の保護は、債権者保護手続（会社法第789条、799条）によって図られることになる。

　これに対し、事業の全部譲渡の場合には、事業譲渡契約に基づき、その当事者

間では、事業の全部に関する権利義務が移転する効果が発生する。しかし、事業譲渡契約の内容として、商品代金支払債務の移転（譲受会社による債務引受け）が定められていたとしても、譲受会社が当該債務を免責的に引き受けることについて、当該債権者の承諾を得なければ、譲渡会社は債務を免れることができない。要するに、事業譲渡に伴う債務の移転については、債権者の個別の同意が必要となる。

　そこで、空欄Aには、「吸収合併の場合は、X株式会社の債務は当然にY株式会社に承継されますが、事業譲渡の場合には、債権者の承諾を得なければ、X株式会社の債務をY株式会社に承継させて、X株式会社がその債務を免れるということはできません」との記述が入る。

(2)　合併や事業譲渡の対価について

　吸収合併の場合、合併の対価は、存続会社の株式が消滅会社の株主に交付されることが原則である。ただし、吸収合併の場合には、いわゆる対価の柔軟化により、存続会社の株式以外の財産（株式に代わる金銭等）を交付することが認められる（会社法第749条1項2号）。

　事業譲渡の場合は、もともと事業譲渡契約は、事業の全部または一部の移転を目的とした売買契約類似の契約であることから、その対価は、金銭の支払いによってなされることが多いが、対価の種類についての法律上の制限はなく、当事者が自由に定めることができる（契約自由の原則。民法第521条、522条）。

　そこで、空欄Bには、「吸収合併、事業譲渡のいずれの対価も金銭に限られません」との記述が入る。

　よって、**イ**が正解である。

設問2 ●●●●

　吸収合併により、消滅会社は、法律上当然に解散し、消滅する。これに対し、事業譲渡の場合には、事業の全部譲渡の場合であっても、譲渡会社は当然には解散せず、法人格は存続する。譲渡会社は、事業譲渡の対価を得た上で、異なる事業目的で事業を継続することができるし、別途、解散決議を行って、事業を清算して残余財産の分配を行う清算手続に移行することも自由に決定できる。

　そこで、空欄Cには、「吸収合併の場合は、X株式会社は当然に解散しますが、事業譲渡の場合は当然には解散しません」との記述が入る。

　次に、吸収合併は、「会社が他の会社とする合併であって、合併により消滅する会社の権利義務の全部を合併後存続する会社に承継させるものをいう。」（会社法第2条27号）と規定があるとおり、その当事者は「会社」（株式会社および持分会社）

に限定される。これに対し、事業譲渡の場合には、当事者は会社でなくてもよく、個人事業主（自然人）も契約の当事者となれる。

　そこで、空欄Dには、「吸収合併の場合は、相手先は会社である必要がありますが、事業譲渡の場合は相手先が会社である必要はありません」との記述が入る。

　よって、**エ**が正解である。

第7問

　独占禁止法の課徴金納付制度と減免制度（令和2年12月25日改正）の知識を問う問題である。

ア　✕：課徴金減免制度とは、事業者が自ら関与したカルテルおよび入札談合について、その違反内容を、公正取引委員会に自主的に報告した場合、課徴金が減免される制度である。減免申請の順位に応じた減免率に、事業者の協力がその事案の真相解明に寄与する程度に応じた減算率を加えた減免率が適用され、課徴金が減免される（独占禁止法第7条の2以下）。この制度は、事業者自らが独占禁止法違反の内容を公正取引委員会に報告し、かつ資料を提出することにより、カルテルおよび入札談合の発見を容易にし、違反事案の真相解明を効率的かつ効果的に行うことにより、独占禁止法の目的とする公正競争秩序を早期に回復することを目的としている。

　この課徴金減免制度における申請は、公正取引委員会が定める様式の申請書を提出することによってなされるが、その申請方法は、確実に順位を決定できるように、電子メールにより、公正取引委員会の定める電子メールアドレスに送信する方法によることとされている。郵送または持参の方法に限られるとの本肢の記述は不適切である。

イ　✕：課徴金減免制度の対象となるのは、不当な取引制限の類型であるカルテルおよび入札談合に限定されている。前提となる課徴金納付命令制度の対象が、不当な取引制限（カルテル・入札談合）に加えて私的独占および不公正な取引方法（共同の取引拒絶、差別対価、不当廉売、再販売価格の拘束、優越的地位の濫用）と広く認められるのに対して、課徴金減免制度の対象行為は限定されている。

ウ　✕：令和2年12月25日改正により、公正取引委員会が調査を開始した後に課徴金減免申請を行った場合、調査開始前に課徴金減免申請を行った者がおらず、かつ、調査開始後の課徴金減免申請の申請順位が1位の場合、減免率10％の課徴金減免がなされうる（さらに、調査への協力度合いに応じて、最大20％を加えた減算率による減免がなされうるが、本問ではこれを考慮しないとされている）。調査開始後であっても、最大3社まで（調査開始前と合わせて5位以内である場合に適用される）は、減免がなされる。

エ ○：正しい。公正取引委員会の調査開始前に減免申請を行い、その申請順位が1位の場合、申請順位に応じた減免率は100％（全額免除）とされている。

よって、**エ**が正解である。

第8問

民事再生手続における双務契約の取扱いについて問う問題である。難問であった。

ア ○：正しい。民事再生手続は、原則として企業に従来の事業を継続させながら、自主的に再建することを法が支援する制度である。そこで、再生債務者である企業は、民事再生手続開始後も、財産の管理処分権を失わない（民事再生法第38条）。また、再生手続が開始された後も、既存の契約が履行されることが再生計画の実施に必要となる。そこで、民事再生手続開始前から継続する売買契約のような双務契約について、民事再生法第50条1項は、「再生債務者に対して継続的給付の義務を負う双務契約の相手方は、再生手続開始の申立て前の給付に係る再生債権について弁済がないことを理由としては、再生手続開始後は、その義務の履行を拒むことができない。」と規定している。この場合には、相手方の契約上の債権は、「共益債権」と位置づけられ、再生計画によらないで、随時弁済を受けることができる（民事再生法第50条2項、121条1項）。

イ ✕：再生手続開始前に再生債務者に債務不履行があり、相手方に契約の解除権が発生していた場合（民法第541条、542条）、民事再生法上、その解除権の行使を制限する規定はない。相手方は、民事再生手続開始後であっても、当該契約を解除することができる。

ウ ✕：民法第642条1項は、請負契約における注文者破産の場合については、「注文者が破産手続開始の決定を受けたときは、請負人または破産管財人は、契約の解除をすることができる。ただし、請負人による契約の解除については、仕事を完成した後は、この限りでない。」と規定し、注文者が破産した場合には、請負人は原則として請負契約を解除できる旨を定めている。これに対し、民事再生手続の場合は、民法第642条の適用対象外であり、請負人は、注文者に民事再生手続が開始されたことを理由として、請負契約を解除することはできない。

エ ✕：民事再生法第51条は、双務契約である賃貸借契約の取扱いについて、破産法第56条を準用している。その破産法第56条の前提として、破産法第53条1項は、「双務契約について破産者およびその相手方が破産手続開始の時においてともにまだその履行を完了していないときは、破産管財人は、契約の解除をし、または破産者の債務を履行して相手方の債務の履行を請求することができる。」として、双務契約一般について破産管財人による契約解除権または履行請求権を認める。しかし、民

事再生法第51条が準用する破産法第56条1項は、「賃借権その他の使用および収益を目的とする権利を設定する契約について破産者の相手方が当該権利につき登記、登録その他の第三者に対抗することができる要件を備えている場合には、適用しない。」とする。すなわち、たとえ賃貸人が破産しても、その破産管財人から、対抗要件を備えた賃借人に対する契約解除を認めない。民事再生法は、同条を準用しているので、賃貸人につき民事再生手続開始決定があった場合、賃借人が対抗要件を具備していた場合には、賃貸人は、双方未履行の双務契約であることを理由に当該賃貸借契約を解除することはできない。

よって、**ア**が正解である。

第9問

特許法における発明の実施について問う問題である。

ア ✕：特許法における発明の実施とは、同法第2条3項に次のとおり規定される。
「この法律で発明について「実施」とは、次に掲げる行為をいう。

一 物（プログラム等を含む。以下同じ。）の発明にあっては、その物の生産、使用、譲渡等（譲渡および貸渡しをいい、その物がプログラム等である場合には、電気通信回線を通じた提供を含む。以下同じ。）、輸出もしくは輸入または譲渡等の申出（譲渡等のための展示を含む。以下同じ。）をする行為

二 方法の発明にあっては、その方法の使用をする行為

三 物を生産する方法の発明にあっては、前号に掲げるもののほか、その方法により生産した物の使用、譲渡等、輸出もしくは輸入または譲渡等の申出をする行為」

物の発明において、その物を輸出する行為は、特許法第2条3項1号に規定される「輸出」として、その発明の実施行為に該当する。

イ ✕：選択肢**ア**の解説で述べたように、物の発明において、その物を「輸入」する行為も、その発明の実施行為に該当する。

ウ ○：正しい。物を生産する装置の発明の場合は、装置という物の発明に当たる。その実施の範囲は、「その物の生産、使用、譲渡等…、輸出もしくは輸入または譲渡等の申出（譲渡等のための展示を含む。以下同じ。）をする行為」（特許法第2条3項1号）をいう。したがって、たとえば、その装置自体を無権原で生産することは特許権侵害となる実施行為に該当するが、その装置により生産した物を譲渡する行為は、その発明の実施行為には該当しない。

エ ✕：選択肢**ア**の解説で述べたように、物を生産する方法の発明において、その方法を使用する行為は、特許法第2条3項3号の特許法上の発明の実施行為に該当す

る。

よって、**ウ**が正解である。

第10問

特許法および実用新案法について、その比較を問う問題である。

ア ○：正しい。国内優先権制度とは、特許権における発明、実用新案権における考案について出願した後、その改良である発明や考案がなされた場合に、すでに出願した内容に改良した内容を取り込んで、すでに先にした出願日が優先日と認められた上で、一括して特許権や実用新案権が認められるという制度である（特許法第41条）。知的財産権に関するパリ条約に基づく国際出願における優先権と区別するために「国内優先権」とよばれる。国内優先権制度は、特許法と実用新案法のいずれにも規定されており、意匠法および商標法では規定されていない。

イ ×：出願公開制度は、出願から一定期間経過後、設定登録を待たずに出願内容を公開する制度である。産業財産権の中では、特許法（特許法第64条～65条）、商標法（商標法第12条の２）に規定されている。特許法においては、出願日から１年６月経過すると、特許出願を特許公報に掲載することにより出願内容が公開される。商標法においては、出願があったときに商標公報に掲載することにより出願公開がなされる。これに対して、意匠法と実用新案法においては、出願公開制度は規定されていない。

ウ ×：特許法第83条１項は、「特許発明の実施が継続して３年以上日本国内において適当にされていないときは、その特許発明の実施をしようとする者は、特許権者または専用実施権者に対し通常実施権の許諾について協議を求めることができる。ただし、その特許発明に係る特許出願の日から４年を経過していないときは、この限りでない。」とし、同条２項は、「前項の協議が成立せず、または協議をすることができないときは、その特許発明の実施をしようとする者は、特許庁長官の裁定を請求することができる。」と規定する。これが、いわゆる「不実施の場合の通常実施権の裁定制度」である。これは、特許権者が発明を実施していない場合に、当該発明を実施したい第三者との利益の調整を図る制度である。そして、実用新案法第21条にも同様の規定が置かれている。すなわち、不実施の場合の裁定通常実施権の設定の裁定制度は、特許法と実用新案法のいずれにも規定されている。

エ ×：物を生産する方法の発明は、第９問選択肢**ア**の解説で述べたように、特許法第２条３項３号の特許法上の発明に該当する。これに対し、実用新案法上の考案は、「物品の形状、構造または組合せに係る考案」（実用新案法第１条）に限定され、そもそも方法は含まれない。物を生産する方法は、実用新案法上の考案には該当しな

い。

よって、**ア**が正解である。

第11問

特許法における共有について問う問題である。

ア ✕：特許権の各共有者は、他の共有者の同意を得なければ、その持分を譲渡することができない（特許法第73条1項）。

イ 〇：正しい。特許権の各共有者は、他の共有者の同意を得なければ、その特許権について、他人に通常実施権を許諾することができない（特許法第73条3項）。同条同項には、「特許権が共有に係るときは、各共有者は、他の共有者の同意を得なければ、その特許権について専用実施権を設定し、または他人に通常実施権を許諾することができない。」と規定されている。

ウ ✕：共同発明の場合、特許を受ける権利は共同発明者の共有となり、共有者全員でなければ特許出願できない（特許法第38条）。

エ ✕：「特許を受ける権利が共有に係るときは、各共有者は、他の共有者の同意を得なければ、その特許を受ける権利に基づいて取得すべき特許権について、仮専用実施権を設定し、または他人に仮通常実施権を許諾することができない。」（特許法第33条4項）。特許を受ける権利の共有者は、他の共有者全員の同意を得なければ、仮専用実施権を設定することはできない。

よって、**イ**が正解である。

第12問

不正競争防止法について問う問題である。

ア ✕：周知表示混同惹起行為（不正競争防止法第2条1項1号）が不正競争行為とされるのは、他社（者）が企業努力によって獲得した信用や顧客吸引力について、需要者に混同を生じさせる同一または類似の商品等表示の使用により不当に侵害する行為を、不正競争として防止しようとするためである。その対象となる商品等表示とは、「人の業務に係る氏名、商号、商標、標章、商品の容器もしくは包装その他の商品または営業を表示するもの」（同法2条1項1号括弧書）と定義されている。よって、「商品の包装」は、周知表示混同惹起行為において、商品等表示に含まれる。

イ ✕：著名表示冒用行為（不正競争防止法第2条1項2号）が不正競争行為とされるのは、著名な商品等表示は、多大な顧客吸引力や良質な品質イメージと固く結びついているため、たとえ需要者に「混同」が生じなくても、これを他社（者）が利用することは、著名表示の顧客吸引力にただ乗り（＝フリーライド）し、著名表示

の表示力を希釈化（＝ダイリューション）し、著名表示の表示力を汚染（＝ポリューション）する結果となるからである。著名表示の冒用がなされ、これらいずれかの要件を満たせば、著名表示冒用行為となる。周知表示混同惹起行為と異なり、需要者に「混同」を生じさせることは要件とされない。

ウ ✕：営業秘密の保護（不正競争防止法第２条１項４号乃至10号）に対する侵害行為が不正競争行為とされるためには、①秘密管理性、②有用性、③非公知性の３つの要件をすべて満たすことが必要である。「独創性」や「新規性」は、営業秘密として保護されるための要件ではない。

エ ◯：正しい。不正競争防止法が規制する不正競争行為として、「競争関係にある他人の営業上の信用を害する虚偽の事実を告知し、または流布する行為」が、同法第２条１項21号に、明文で規定されている。いわゆる「信用毀損行為」のことであり、これは、競争関係にある他人の営業上の信用を毀損して、競争上優位に立とうとする他社（者）による不正競争行為を規制するものである。

よって、**エ**が正解である。

第13問

商標法について問う問題である。

ア ✕：産業財産権の各権利は、相互に異なる権利に出願を変更できる場合がある。たとえば、特許出願、実用新案登録出願、意匠登録出願は、すでに特許庁に係属する出願を、相互に他の権利の出願に変更することができる（特許法第46条、実用新案法第10条、意匠法第13条）。この変更出願がなされた場合、元の出願は取り下げられたものとみなされ、変更出願は、元の出願時になされたものとみなされる。これに対して、商標登録出願は、商標法の範囲内において、通常の商標登録出願と団体商標、地域団体商標、防護標章登録との間での出願変更は認められるものの、特許権、実用新案権および意匠権といった異なる権利への出願変更は認められない（商標法第11条、12条）。

イ ◯：正しい。出願公開制度は、出願から一定期間経過後、設定登録を待たずに出願内容を公開する制度である。産業財産権の中では、特許法（特許法第64条〜65条）、商標法（商標法第12条の２）に規定されている。

ウ ✕：商標法第１条は、同法の目的として、「商標を保護することにより、商標の使用をする者の業務上の信用の維持を図り、もって産業の発達に寄与し、あわせて需要者の利益を保護することを目的とする。」との明文を置いている。需要者の利益の保護も、商標法の目的の１つである。

エ ✕：商標法第64条１項は、「商標権者は、商品に係る登録商標が自己の業務に係

る指定商品を表示するものとして需要者の間に広く認識されている場合において、その登録商標に係る指定商品およびこれに類似する商品以外の商品または指定商品に類似する役務以外の役務について他人が登録商標の使用をすることによりその商品または役務と自己の業務に係る指定商品とが混同を生ずるおそれがあるときは、そのおそれがある商品または役務について、その登録商標と同一の標章についての防護標章登録を受けることができる。」と規定する。そして、同条2項は、「役務に係る登録商標」についても防護標章登録を受けることができる旨を定める。このように、防護標章登録制度は、登録商標を使用した結果、需要者に広く認識されるようになった著名な商標について、他人の無断使用を禁止する制度である。

商標法は、「防護標章登録出願人は、その防護標章登録出願を商標登録出願に変更することができる。」（商標法第12条1項）とし、「前項の規定による出願の変更は、防護標章登録出願について査定または審決が確定した後は、することができない。」（同条2項）とする。通常の商標登録出願を、防護標章登録出願に変更することも可能である（商標法第64条1項、2項）。ただし、これらいずれの場合であっても、第12条2項、64条2項により、元の出願について査定または審決が確定した後は、出願変更することはできない。

よって、**イ**が正解である。

第14問

実用新案登録に基づく特許出願について問う問題である。

実用新案権の存続期間は、出願の日から10年と短いのに対し、特許権の存続期間は、原則として特許法上「特許出願の日」（＝空欄A）から20年と長い。そこで、実用新案登録に基づく特許出願への変更が問題となるが、実用新案登録に係る実用新案登録出願の日から原則として、「3年」（＝空欄B）を経過するまでは、実用新案登録に基づいて特許出願を行うことが可能である（特許法第46条の2）。

よって、**エ**が正解である。

第15問

商標登録出願について問う問題である。

「商標登録出願は、商標の使用をする一または二以上の商品または役務を指定して、商標ごとにしなければならない。」（商標法第6条1項）。これを、「一商標一出願主義」という。また、出願の願書において、出願する商標について指定する一または二以上の商品または役務は、政令で定める商品および役務の区分に従って記載しなければならない（同条2項）。そして、この場合、指定する商品または役務は、同一の区分に

属する必要はなく、多区分にわたって指定することができる。これを「一出願多区分制度」という。

本問では、英会話スクールの名前である「〇〇〇〇〇」という文字商標を、「語学の教授」という役務を指定して商標登録出願すると同時に、同じ「〇〇〇〇〇」という文字商標を、「翻訳、通訳」との役務を指定して、一つの商標登録出願で出願することができる。そこで、空欄Aには、「商標が同じであれば、複数の役務を1つの出願に含めることができます」との記述が入る。

次に、スクールの宣伝として流すオリジナルのメロディーを商標として登録する場合、「音の商標」として登録することが認められる（商標法第5条2項4号）。そこで、空欄Bには、「音からなる商標を登録することは、制度上認められています」との記述が入る。

よって、**ウ**が正解である。

第16問

国際取引における売買契約について、（設問1）は英文契約の準拠法条項の内容を、（設問2）は仲裁条項の内容を問う問題である。

＜本契約書の該当条項の和訳＞

「1項　本契約は、法の抵触の原則にかかわらず、アメリカ合衆国ニューヨーク州法に準拠し、同法に従って解釈されるものとする。

2項　本契約に起因し、または関連して発生するすべての紛争は、本契約の成立、有効性または終了に関する疑義を含め、アメリカ合衆国ニューヨーク市における米国仲裁協会の仲裁に付託し、最終的に解決されるものとする。米国仲裁協会は、その仲裁規則に従うものとする。」

設問1 ● ● ●

本契約書中、第1項に規定された「governed by」は、「準拠する（準拠法）」を表す語句であり、このような条項は準拠法条項と呼ばれる。準拠法（Governing Law）とは、国際取引において、外国企業と取引し、法的紛争が発生した場合に適用される法律のことである。国際取引においては、各国の国際私法（日本においては「法の適用に関する通則法」）によって準拠法の決定基準が定められているが、法の適用に関する通則法第7条、8条によれば、当事者自治の原則（当事者が契約で準拠法を定めることを認める原則）が採用されている。当事者自治の原則は、契約自由の原則という普遍的な理念に基づくもので、多くの国がこの原則に従ってい

る。本契約の第1項の契約条項は、この考え方に基づき、その内容として、「本契約がアメリカ合衆国ニューヨーク州法に準拠し、同法に従って解釈されること」（＝空欄A）を定めている。準拠するのはニューヨーク州法であって、連邦法ではないので、選択肢ウ、エは消去できる。

次に、第2項に規定された「Arbitration」は、「仲裁」を表す語句である。国際取引から発生する法的紛争の解決手段としては、裁判（Adjudication、Judgement）や、仲裁（Arbitration）、調停（Mediation）などがある。

裁判は、主権を有する各国の裁判所による公権的な紛争解決手段であり、原則として公開の法廷で対審・判決が行われ、法的強制力を伴う最終的な手段である。

仲裁とは、紛争を解決するため、契約当事者が選定した第三者である仲裁人（仲裁機関）に裁定の判断を任せ、当事者双方はその仲裁人の判断に従わなければならない、という仲裁合意強制力を伴うものであり、本問の仲裁条項は、仲裁合意を謳う条項となっている。仲裁は、訴訟に比べて、当事者が事前に自由に仲裁人を定めることができ、非公開で、上訴を許さないことから迅速に紛争解決ができるメリットがある。

これに対して、調停は、契約当事者が選定した第三者である調停人を仲介として話合いによる解決を目指し、調停人から調停案を示してもらい、当事者がそれに合意した場合に、調停案に示された内容で解決する、という紛争解決手段である。調停は、あくまで当事者の和解による解決を目指すもので、仲裁のような法的強制力がなく、当事者が調停案を受け入れなければ不調（調停不成立）となる。

本契約書第2項は、「本契約から、または本契約に関連して発生するすべての紛争はニューヨーク市における米国仲裁協会に付託され、最終的に解決されること」（＝空欄B）を定めている。仲裁機関は、米国仲裁協会であり、連邦地方裁判所ではないので、選択肢**イ**、**エ**は消去できる。

よって、**ア**が正解である。

設問2 ● ● ●

裁判と仲裁の知識を問う問題である。

ア ○：正しい。裁判は、主権を有する各国の裁判所における公権的紛争解決手段であり、確定した判決その他の債務名義に基づいて、当該国において強制執行ができる（日本国においては、民事執行法第22条以下）。ただし、裁判における確定判決は、当該国において強制執行できるが、国外では強制執行はできないのが原則である。これに対し、仲裁の場合、仲裁機関が行った仲裁判断には裁判所の確定判決と同じ効力が付与され、強制執行が可能である。さらに、国外について

はニューヨーク条約（外国仲裁判断の承認及び執行に関する条約）の締約国（約170か国）では、同条約に基づいて強制執行をすることが可能である。

イ ✕：裁判は、公開の法廷で対審が行われ、判決が言い渡される（日本国憲法第82条1項、民事訴訟規則第66条1項6号、民事訴訟法第312条2項5号）。これに対して、仲裁の場合には、仲裁の期日における仲裁廷は、原則として非公開である。非公開とされることで、紛争の事実やその内容、仲裁判断の詳細等が、当事者の意思に反して外部に漏洩する不利益を回避できるメリットがあるとされる。

ウ ✕：仲裁は、当事者の仲裁合意に基づき、仲裁機関の判断に当事者が従わなければならない、法的強制力を伴う効果を有する。当事者が合意に達しなかった場合に不成立となるのは、調停のことを指している。

エ ✕：裁判の場合には、日本では三審制が採用され、判決に不服のある当事者は、上訴（控訴・上告）することができる。これに対し、仲裁においては、紛争解決の迅速性が重視され、仲裁判断に対しては、上訴や裁判所への不服申立を許さない一審制の手続とされている。

よって、**ア**が正解である。

第17問

民法の相続および経営承継円滑化法による民法の特例の知識を問う問題である。

設問1 ●●●

会話中の「あなた」の第1発言で述べられている「民法は、遺族の生活の安定や最低限度の相続人間の平等を確保するために、一定の相続人のために法律上必ず留保されなければならない遺産の一定割合を定めております。」が意味するのは、「遺留分」（＝空欄　民法第1042条以下）を指す。遺留分を侵害するような生前贈与や遺言がなされると、遺留分権利者からは、遺留分侵害額請求がなされることがある（民法第1046条）。また、遺留分制度が、事業承継に対する一種の障害となっていることに鑑み、経営承継円滑化法により、遺留分に関して民法の特例が定められている。

選択肢**イ**の「寄与分」は、被相続人の財産形成に特別に寄与した相続人について、その寄与に応じた相続分の増加を認める制度である（民法第904条の2）。

選択肢**ウ**の「指定相続分」とは、被相続人が、遺言によって共同相続人の相続分を指定した場合の相続分をいう（民法第902条）。

選択肢**エ**の「法定相続分」とは、民法に定められた相続人の相続割合をいう（民法第900条）。これらは、いずれも空欄に入る語句として不適切である。

よって、**ア**が正解である。

ア ✕：経営承継円滑化法における民法の特例を受けることができるのは、原則として、非上場中小企業（特例中小会社であって３年以上継続して事業を行っていることが要件）である。しかし、同法によれば、個人事業主の場合も、生前贈与等をされた事業用資産（①土地または土地上に存する権利、②建物、③減価償却資産）について、同法の定める除外合意の対象とできる旨が定められている。よって、民法の特例は、中小企業者のみに限られず、個人事業主も特例を受けることができる。

イ ✕：経営承継円滑化法における民法の特例を受けるための要件として、先代経営者からの生前贈与等により株式を取得したことにより、後継者は会社の議決権の過半数を保有していることが必要とされる。経営承継円滑化法第３条３項には、会社事業後継者の定義として、「この章において「会社事業後継者」とは、旧代表者から当該特例中小会社の株式等の贈与を受けた者（以下「株式等受贈者」という。）または当該株式等受贈者から当該株式等を相続により取得した者であって、当該特例中小会社の総株主（株主総会において決議をすることができる事項の全部につき議決権を行使することができない株主を除く。以下同じ。）または総社員の議決権の過半数を有し、かつ、当該特例中小会社の代表者であるものをいう。」と規定されている。

ウ 〇：正しい。経営承継円滑化法における民法の特例を受けるための手続的要件として、後継者が遺留分権利者全員との書面による合意（除外合意または固定合意）をした後、同法の定める特例中小会社であること等への経済産業大臣の確認、合意が真意であること等への家庭裁判所の許可、これら双方を得ることが必要である（経営承継円滑化法第７条、８条）。これらの手続には、期間制限が設けられており、経済産業大臣による確認は、合意をした日から１か月以内に、家庭裁判所による許可は、大臣確認を受けた日から１か月以内に、申請または申立てをすることが必要である。

エ ✕：経営承継円滑化法における民法の特例を受けるためには、同法に定める推定相続人であって、法定相続人から兄弟姉妹およびこれらの者の子を除いた者全員の合意が必要である（経営承継円滑化法第３条６項、４条１項本文）。要するに、遺留分権利者全員（と会社事業後継者）の合意が要件とされる。遺留分権利者全員の合意が要件とされるのであって、推定相続人の過半数の合意では足りない。よって、**ウ**が正解である。

製造物責任法の知識を問う問題である。

ア ✗：製造物責任法において、製造物責任を負う「製造業者」は、①当該製造物を業として製造、加工または輸入した者（製造業者）、②当該製造物の製造業者として当該製造物にその氏名、商号、商標その他の表示をした者または当該製造物にその製造業者と誤認させるような氏名等の表示をした者（表示製造業者）、③当該製造物の製造、加工、輸入または販売に係る形態その他の事情からみて、当該製造物にその実質的な製造業者と認めることができる氏名等の表示をした者（実質製造業者）の３つが規定されている（製造物責任法第２条３項１号〜３号）。外国から輸入した製品の欠陥により損害が発生した場合、輸入事業者も上記①の「製造業者」として、製造物責任法による損害賠償責任を負う対象となる。

イ ○：正しい。製造物責任法による損害賠償責任は、民法第709条所定の不法行為責任の特例として定められている。民法第709条によれば、被害者は、加害者の故意または過失による加害行為による損害の発生を立証しなければ救済されないが、この立証は、必ずしも容易ではない。そこで、製造物責任法は、被害者の保護を図る目的で、製造業者の過失を要件とせず（無過失責任）、製品に欠陥があること、その欠陥と損害との因果関係を証明すれば、損害賠償を請求できるようにしたものである。

ウ ✗：製造物責任法は、責任主体としての製造業者を広く定義する一方、対象としての「製造物」を「製造または加工された動産」と限定する（同法第２条１項）。また、製造物の欠陥による人の生命、身体または財産に関する損害（＝拡大損害）が発生した場合について損害賠償責任（製造物責任）が生じることを規定する。この場合、損害が、当該製造物についてのみ発生し、拡大損害が発生しなかった場合、製造業者は製造物責任を負わない。同法第３条は、「製造業者等は、その製造、加工、輸入または前条第３項第２号もしくは第３号の氏名等の表示をした製造物であって、その引き渡したものの欠陥により他人の生命、身体または財産を侵害したときは、これによって生じた損害を賠償する責めに任ずる。ただし、その損害が当該製造物についてのみ生じたときは、この限りでない。」との規定を置く。同条ただし書は、拡大損害が発生しなかった場合には、製造業者が製造物責任法による損害賠償責任を負わないことを明記している。

エ ✗：選択肢**ア**の解説中の②当該製造物の製造業者として当該製造物にその氏名、商号、商標その他の表示をした者または当該製造物にその製造業者と誤認させるような氏名等の表示をした者（表示製造業者）も、製造物責任法による損害賠償責任を負う対象となる。

よって、**イ**が正解である。

第19問

景品表示法（不当景品類及び不当表示防止法）で定義される表示について知識を問う問題である。

ア ✕：景品表示法第5条は、商品または役務の品質または規格などの内容について、実際のものや競争事業者に係るものよりも著しく優良であると示す表示（優良誤認表示）、または著しく有利であると表示する表示（有利誤認表示）を、不当表示として規制している（同条1号〜3号）。しかし、同条は、企業が競争事業者の商品・サービスとの比較を行うことそのものについて禁止し、制限するものではない。消費者庁は、比較広告が適正に行われるための比較広告ガイドラインを示している。同ガイドラインによれば、次の3つの要件を満たした場合には、不当表示とはされない。

(1) 比較広告で主張する内容が客観的に実証されていること。

(2) 実証されている数値や事実を正確かつ適正に引用すること。

(3) 比較の方法が公正であること。

イ ○：正しい。景品表示法第7条2項は、「内閣総理大臣は、前項の規定による命令に関し、事業者がした表示が第5条1号に該当するか否かを判断するため必要があると認めるときは、当該表示をした事業者に対し、期間を定めて、当該表示の裏付けとなる合理的な根拠を示す資料の提出を求めることができる。この場合において、当該事業者が当該資料を提出しないときは、同項の規定の適用については、当該表示は同号に該当する表示とみなす。」と規定している。内閣総理大臣の権限は消費者庁長官に委任されており、消費者庁長官は、企業に表示の裏付けとなる合理的な根拠を示す資料の提出を求めることができ、企業が当該資料を提供しなかった場合には、不当表示として、景品表示法に違反する表示とみなされることとなる。

ウ ✕：景品表示法は、不当な表示による顧客の誘引を防止するため、事業者が自己の供給する商品・サービスの取引について、不当な表示を行うことを禁止している（同法第5条1項）。このような規制の趣旨から、不当な表示についてその内容の決定に関与した事業者が、景品表示法上、規制の対象となる事業者とされる。この場合の「決定に関与」とは、自ら、または他の者と共同して積極的に当該表示の内容を決定した場合のみならず、他の者の表示内容に関する説明に基づきその内容を定めた場合や、他の者にその決定を委ねた場合も含まれる。また、当該表示が景品表示法第5条1項に規定する不当な表示であることについて、当該表示の決定に関与した者に故意または過失があることは要しないとされる。よって、不当な表示内容

の決定に関与しただけの事業者であっても、景品表示法の規制対象となる。

エ ✕：優良誤認表示および有利誤認表示に該当するには、選択肢**ウ**の解説で述べた とおり、当該表示が景品表示法第5条1項に規定する不当な表示であることについ て、当該表示の決定に関与した者に故意または過失があることは要しないとされ、 故意または過失がなくても、景品表示法の規制対象となる。

よって、**イ**が正解である。

第20問

知的財産権、民法の共有の知識を問う問題である。

ア ✕：意匠法第36条は、共有について特許法第73条を準用する。そして、特許法第 73条によれば、「特許権が共有に係るときは、各共有者は、契約で別段の定（め） をした場合を除き、他の共有者の同意を得ないでその特許発明の実施をすることが できる。」（同条2項）とされ、当然には「持分に応じた実施」とはされない。各共 有者にとって、実施が制限されるのは、「契約で別段の定（め）をした場合」である。 たとえば、契約で、各共有者について持分に応じた実施を取り決めた場合には、そ の契約に従って「持分に応じた」実施が求められる（特許法施行規則第27条等参照） が、そのような定めがない場合には、各共有者は意匠権をそれぞれ実施することが でき、その場合には「持分に応じた実施」との制限はなされない。

イ ✕：商標法第31条6項、35条は、特許法第73条を準用する。そして、特許法第73 条は、「特許権が共有に係るときは、各共有者は、他の共有者の同意を得なければ、 その持分を譲渡し、またはその持分を目的として質権を設定することができない。」 （同条1項）と規定し、各共有者は、他の共有者の同意を得なければ、その持分を 譲渡することができないことが明記されている。

ウ 〇：正しい。共有著作権は、その共有者全員の合意によらなければ、行使するこ とができない（著作権法第65条2項）。よって、著作権の各共有者は、自ら複製等 の著作権の利用をする場合でも、他の共有者全員の合意（選択肢は「同意」とされ ているが、厳密にいえば「合意」が正しい。）が必要である。

エ ✕：不動産の共有については、民法の共有に関する規定が適用され、「各共有者は、 共有物の全部について、その持分に応じた使用をすることができる。」（民法第249 条1項）。同条が定める「持分に応じた使用」とは、各共有者は、共有物の全部の 使用をすることができるが、その場合であっても、他の共有者の持分を尊重する義 務があるということである。そこで、民法第249条は、各共有者が持分を超える使 用をした場合には、他の共有者に対して、自己の持分を超える使用の対価を償還す る義務を負うとし（同条2項）、また、共有物の使用に際しては、善良なる管理者

85

の注意義務を負う（同条3項）とされる。よって、不動産の共有者は、共有物の全部について、自己の持分に関係なく使用をすることができるわけではない。

よって、**ウ**が正解である。

第21問

民法の相殺について問う問題である。

相殺とは、債務者が債権者に対して同種の債権を有する場合に、その債権と自己の債務を対当額につき一方的意思表示によって消滅させることをいう（民法第505条）。相殺をする（申し込む）ほうの債権を「自働債権」といい、相殺される（申し込まれる）ほうの債権を「受働債権」という。相殺には、①簡易決済機能（対当額については、両者が合計2回の弁済をする必要がなく、簡易に決済できること）、②公平保持機能（当事者の一方の資力が悪化した場合に、他方だけが弁済することになる不公平を回避できること）、③担保的機能（自働債権の債権者は、相手方に対して負っている債務の額の限度では、相殺によって、他の債権者に優先して自己の債権を回収することができること）がある。

相殺をするためには、両当事者間に相殺に適した状況があることが必要であり、これを「相殺適状」という。相殺適状の要件は、①同一当事者間の対立する債権の存在、②両債権が同種の目的を有すること、③両債権の弁済期が到来していること、である（民法第505条1項）。

ア ✕：「差押えを受けた債権の第三債務者は、差押え後に取得した債権による相殺をもって差押債権者に対抗することはできないが、差押え前に取得した債権による相殺をもって対抗することができる。」（民法第511条1項）。この規定の趣旨は、差押えを受けた債権の第三債務者が、差押債務者に対する反対債権を有していた場合、差押えられた一事をもって現実の弁済を強制されることは妥当ではなく、第三債務者の相殺による決済に対する期待は尊重されるべきである、ということである。よって、差押えを受けた債権の第三債務者は、差押え前から有していた差押債権者に対する債権を自働債権とする相殺をもって、差押債権者に対抗することができる。

イ ◯：正しい。相殺の意思表示は、双方の債務が互いに相殺に適するようになった時（相殺適状となった時）にさかのぼってその効力を生ずる（民法第506条2項）。相殺の遡及効により、相殺適状後の利息や履行遅滞による損害金等は、発生しなかった取扱いとされ、簡易決済に資する。

ウ ✕：不法行為から生じた債権を受働債権とする相殺については、民法第509条に明文が置かれており、次の①②の場合の債務者は、相殺をすることができない。①悪意による不法行為に基づく損害賠償の債務（同条1号）、②人の生命または身体

の侵害による損害賠償の債務（同条2号）。

　その趣旨は、①は、不法行為を誘発することを防止すること、②は現実弁償をさせることが必要であること、これらの観点から相殺が禁止される。必ずしも、不法行為債権全般について、自働債権とすることが禁止されているわけではない。

　よって、上記①②に該当する不法行為から生じたこれらの債権を受働債権とする「加害者からの相殺」は原則としてできないが、被害者が、不法行為によって生じた債権（損害賠償債権）を自働債権として相殺することに制限はない。

エ　✕：相殺適状の要件は、自働債権および受働債権双方の弁済期が到来していることである。しかし、自働債権の弁済期さえ到来していれば、相殺するほうの自働債権の債権者（受働債権の債務者）は、受働債権について期限の利益を放棄して、受働債権の弁済期を到来させることができる（民法第136条2項）。すると、両債権が弁済期にある状態とすることができ、相殺をすることができる。つまり、自働債権の弁済期さえ到来していれば、受働債権の弁済期が到来していなくとも、期限の利益を放棄することで、相殺することができる。

　よって、**イ**が正解である。

令和 4 年度問題

Questions

第1問 ★重要★

　下表は、取締役会設置会社における株式の併合と株式の分割との比較に関する事項をまとめたものである。空欄A～Dに入る語句の組み合わせとして、最も適切なものを下記の解答群から選べ。

	株式の併合	株式の分割
株主の所有株式数	A	B
資本金額	変動しない	C
手続き	D	取締役会の決議

［解答群］
ア　A：減少　　B：増加　　C：変動しない　　D：株主総会の特別決議

イ　A：減少　　B：増加　　C：変動する　　　D：株主総会の特別決議

ウ　A：増加　　B：減少　　C：変動しない　　D：株主総会の普通決議

エ　A：増加　　B：増加　　C：変動しない　　D：株主総会の普通決議

第2問 ★重要★

　下表は、会社法が定める監査役設置会社における取締役と監査役の任期をまとめたものである。空欄A～Cに入る数値と語句の組み合わせとして、最も適切なものを下記の解答群から選べ。

　なお、本問においては、補欠取締役・補欠監査役が取締役・監査役に就任した場合の任期、監査等委員会設置会社・指名委員会等設置会社となるための定款変更、公開会社となるための定款変更、監査役の監査権限を会計監査に限定する定款変更等による任期の終了は考慮しないものとする。

　また、定款に剰余金配当に関する特段の定めはない。

	取締役	監査役
原則	選任後 <u>A</u> 年以内に終了する事業年度のうち最終のものに関する定時株主総会の終結時まで	選任後４年以内に終了する事業年度のうち最終のものに関する定時株主総会の終結時まで
公開会社ではない会社の特則（任期の伸長）	定款により、選任後10年以内に終了する事業年度のうち最終のものに関する定時株主総会の終結時まで伸長可能	定款により、選任後 <u>B</u> 年以内に終了する事業年度のうち最終のものに関する定時株主総会の終結時まで伸長可能
任期の短縮	定款又は株主総会の決議によって短縮可能	定款又は株主総会の決議によって短縮 <u>C</u>

[解答群]

ア　A：1　　B：8　　C：不可

イ　A：1　　B：10　　C：可能

ウ　A：2　　B：8　　C：可能

エ　A：2　　B：10　　C：不可

第3問

　以下の文章は、令和元年になされた会社法改正に関して説明したものである。空欄に入る数値として、最も適切なものを下記の解答群から選べ。

　なお、議案要領通知請求権とは、株主が提出しようとする議案の要領を株主に通知すること（招集通知に記載又は記録すること）を請求できる権利のことである。

　「会社法の一部を改正する法律」（令和元年法律第70号）においては、株主提案権の濫用的な行使を制限するための措置として、取締役会設置会社の株主が議案要領通知請求権（会社法第305条第１項）を行使する場合に、同一の株主総会に提案することができる議案の数の上限を　　　　　に制限することとされた。

[解答群]

ア　3　　　イ　5　　　ウ　7　　　エ　10

　株式会社と合同会社の比較に関する記述として、最も適切なものはどれか。

ア　株式会社及び合同会社のいずれも、会社成立後の出資に際して、資本金を増やさ
　ずに出資による資金調達を行うことはできない。

イ　株式会社においては法人は取締役となることはできないが、合同会社においては
　法人が業務執行社員になることができる。

ウ　株式会社の株主は1名でもよいが、合同会社の社員は2名以上でなければならな
　い。

エ　株式会社の株主は有限責任であるが、合同会社の社員は無限責任である。

　以下の会話は、X株式会社（以下「X社」という。）の代表取締役甲氏と、
中小企業診断士であるあなたとの間で行われたものである。この会話に基づき
下記の設問に答えよ。

　なお、本問における甲氏とあなたとの間の会話内の会社分割は、吸収分割の
ことを指している。

甲　氏：「弊社の事業の一部であるβ事業の業績が芳しくないので、β事業を他の会
　　　　社に売って、弊社の経営資源をα事業に集中したいと思っています。先日、
　　　　資本関係にない株式会社であるY社から、β事業を買いたいという話があ
　　　　りました。Y社の担当者によれば、方法としては、事業譲渡の方法と会社
　　　　分割の方法があり、会社分割は吸収分割とのことでした。私は、β事業を
　　　　売った対価を金銭としたいと思ったのですが、事業譲渡と会社分割とでは
　　　　違いが生じるのでしょうか。」

あなた：「　　A　　。」

甲　氏：「なるほど。その後、私が、弊社の経理部長乙氏に意見を聞いたところ、乙
　　　　氏は、『これを機にY社の株式を取得して、Y社との関係を深めてはどう
　　　　か。』と話していました。β事業を売った対価を株式とすることは、事業譲
　　　　渡と会社分割のいずれでもできるのでしょうか。」

あなた：「　　B　　。」

甲　氏：「ありがとうございます。事業譲渡によるのか、会社分割によるのかは、弊
　　　　社内で再度検討します。ところで、事業譲渡と会社分割の手続きを少しお
　　　　聞きしたいのですが、それぞれの手続きで違うところはあるのでしょうか。」

問題

4年度

あなた：「　　C　　。」

甲　氏：「分かりました。ありがとうございます。」

設問1 ● ● ●

　会話の中の空欄AとBに入る記述の組み合わせとして、最も適切なものはどれか。

ア　A：事業譲渡の場合では対価を金銭とすることはできますが、会社分割の場合では対価を金銭とすることはできません

　　B：事業譲渡の場合では対価を株式とすることはできませんが、会社分割の場合では対価を株式とすることはできます

イ　A：事業譲渡の場合では対価を金銭とすることはできますが、会社分割の場合では対価を金銭とすることはできません

　　B：事業譲渡の場合でも、会社分割の場合でも、対価を株式とすることはできます

ウ　A：事業譲渡の場合でも、会社分割の場合でも、対価を金銭とすることはできます

　　B：事業譲渡の場合では対価を株式とすることはできませんが、会社分割の場合では対価を株式とすることはできます

エ　A：事業譲渡の場合でも、会社分割の場合でも、対価を金銭とすることはできます

　　B：事業譲渡の場合でも、会社分割の場合でも、対価を株式とすることはできます

設問2 ● ● ●

　会話の中の空欄Cに入る記述として、最も適切なものはどれか。

　なお、事業譲渡及び会社分割のいずれの場合においても、当該株主総会の承認決議と同時に解散決議をするものではなく、また、簡易手続（簡易事業譲渡、簡易会社分割）によるものではないものとする。

ア　会社法では、事業譲渡の場合、X社の株主にいわゆる反対株主の買取請求権が認められていますが、会社分割では反対株主の買取請求権は認められていません

イ　会社法では、事業譲渡は、登記をすることにより効力が発生するとされていますが、会社分割は、契約書に定めた効力発生日に効力が発生するとされています

ウ　会社法には、会社分割では、X社で契約書などの事前開示書類を一定の期間、備置することが定められていますが、事業譲渡ではそのような定めはありません

エ　会社法には、事業譲渡ではX社の債権者を保護するための債権者保護手続が定められていますが、会社分割ではそのような手続きは定められていません

第6問　★重要★

　以下の会話は、甲氏と、中小企業診断士であるあなたとの間で行われたものである。この会話に基づき下記の設問に答えよ。

甲　氏：「最近、私の友人が株式会社を立ち上げました。私も、株式会社をつくって、事業をやりたいと思います。友人の株式会社は、公開会社ではない株式会社と聞きました。公開会社ではない株式会社とは、どのような会社ですか。」

あなた：「公開会社ではない株式会社とは、発行する全部の株式が譲渡制限株式である会社をいいます。」

甲　氏：「公開会社ではない株式会社には、どのような特徴があるのでしょうか。」

あなた：「公開会社ではない株式会社の場合には、　Ａ　。」

甲　氏：「ありがとうございます。今後、実際に株式会社を設立する場合、どのような点に注意すればよいのでしょうか。」

あなた：「　Ｂ　。」

甲　氏：「ありがとうございます。分からないことがあったら、またお伺いします。」

問題　4年度

設問1　● ● ●

　会話の中の空欄Ａに入る記述として、最も適切なものはどれか。

ア　議決権制限株式を発行するときは、発行済株式総数の2分の1以下までしか発行できません

イ　社債を発行することはできません

ウ　剰余金の配当を受ける権利に関する事項について、株主ごとに異なる取扱いをする旨を定款で定めることができます

エ　定款で株券を発行する旨を定めることはできません

設問2　● ● ●

　会話の中の空欄Ｂに入る記述として、最も適切なものはどれか。

ア 株式会社を設立するに当たって作成する定款には、商号を記載又は記録しなければなりませんので、考えておくとよいでしょう

イ 株式会社を設立するに当たって作成する定款は、電磁的記録により作成することはできませんので、注意してください

ウ 株式会社を募集設立によって設立する場合、最低資本金の額は300万円となりますので、注意してください

エ 発起人は3名以上でなければなりませんので、甲氏のほかに発起人となってくれる人を探しておくとよいでしょう

第7問

　X株式会社（以下「X社」という。）は、Y株式会社（以下「Y社」という。）、Z株式会社（以下「Z社」という。）とともに、国内に3社が出資する合弁会社（株式会社の形態）を設立して、共同事業を行うことを検討している。

　以下の会話は、X社の代表取締役甲氏と、中小企業診断士であるあなたとの間で行われたものである。この会話の中の空欄A～Dに入る数値と語句の組み合わせとして、最も適切なものを下記の解答群から選べ。

甲　氏：「先日、Y社の担当者とZ社の担当者との間で、合弁会社の設立についての会議をしました。合弁会社が実施する業務や弊社、Y社、Z社の役割分担については、だいたい意見が一致したのですが、出資比率をどうするのかで、なかなかまとまっていません。合弁会社の出資比率をどの程度にするのかは、どのような視点から検討すればよいのでしょうか。」

あなた：「出資比率をどうするのかはとても重要です。合弁会社で、議決権制限が付いていない普通株式のみを発行する場合、出資比率は、議決権比率となります。定款で特別に定めをしない場合、X社の出資比率を　Ａ　とすると、合弁会社の株主総会におけるいわゆる普通決議事項について拒否権を有し、単独で議案の可決を阻止することができます。また、X社の出資比率を　Ｂ　とすると、株主総会のいわゆる　Ｃ　事項について単独で決定権を有することになります。」

甲　氏：「なるほど、出資比率というのは大切なのですね。でも、出資比率を大きくすると、それだけ合弁会社の事業が立ち行かなくなった場合の責任も重くなると思います。出資比率を大きくしなくても、重要な事項の決定については、弊社の意見を反映させたいと思います。どうすればよいでしょうか。」

あなた：「合弁会社の株主間契約で、重要な事項の決定は株主全員の合意によること

とする定めを置いたり、事案によっては、定款で株主総会や取締役会の定足数・決議要件を加重することを定める場合もあります。合弁会社の株主間契約で、重要な事項の決定は株主全員の合意が必要と定めた場合、株主全員の合意が得られず、重要な事項が決定できなくなるという、いわゆる　D　が生じる場合があります。このため、このような場合を想定し、いわゆる　D　条項を設けて、対応手順などを定めておくことも重要です。」

甲　氏：「いろいろあるのですね。また、話が進みましたら相談します。」

あなた：「分かりました。契約書の内容を相談する必要があれば、専門の弁護士を紹介することもできますので、お気軽にご相談ください。」

```
［解答群］
ア　A：3分の1　　　B：3分の2　　　C：特別決議　　　D：クローバック
イ　A：50%　　　　　B：51%　　　　　C：特殊決議　　　D：クローバック
ウ　A：50%　　　　　B：51%　　　　　C：特殊決議　　　D：デッドロック
エ　A：50%　　　　　B：3分の2　　　C：特別決議　　　D：デッドロック
```

第8問　★重要★

産業財産権法に関する記述として、最も適切なものはどれか。

ア　意匠法には、国内優先権制度が規定されている。

イ　実用新案法には、出願公開制度が規定されている。

ウ　商標法には、出願審査請求制度が規定されている。

エ　特許法には、不実施の場合の通常実施権の設定の裁定制度が規定されている。

第9問　★重要★

特許法に関する記述として、最も適切なものはどれか。

ア　専用実施権者は、自己の専用実施権を侵害する者又は侵害するおそれがある者に対して、その侵害の停止又は予防を請求することができない。

イ　特許権が共有に係るときは、各共有者は、契約で別段の定めをした場合を除き、他の共有者の同意を得ないでその特許発明の実施をすることができる。

ウ　特許権者がその特許権について、専用実施権を設定し、その専用実施権の登録がなされた場合、当該設定行為で定めた範囲内において、特許権者と専用実施権者と

は、業としてその特許発明の実施をする権利を共有する。

エ　未成年者は特許を受ける権利の権利主体となることができない。

第10問　★重要★

著作権法に関する記述として、最も適切なものはどれか。

ア　「講演」は「言語の著作物」には該当せず、著作物として著作権法に規定されていない。

イ　「地図」は、著作物として著作権法に規定されていない。

ウ　「美術の著作物」は「美術工芸品」を含むことは、著作権法に規定されていない。

エ　「無言劇」は、著作物として著作権法に規定されている。

第11問　★重要★

不正競争防止法に関する記述として、最も適切なものはどれか。

ア　不正競争防止法第2条第1項第1号に規定する、いわゆる周知表示混同惹起行為において、「人の業務に係る氏名」は「商品等表示」には含まれない。

イ　不正競争防止法第2条第1項第3号に規定する、いわゆるデッドコピー規制による保護期間は、外国において最初に販売された日から起算して3年を経過するまでである。

ウ　不正競争防止法第2条第1項第3号に規定する、いわゆるデッドコピー規制の要件である「模倣する」とは、他人の商品の形態に依拠して、これと実質的に同一の形態の商品を作り出すことをいう旨が、不正競争防止法に規定されている。

エ　不正競争防止法第2条第1項第11号乃至第16号で保護される限定提供データは、技術上の情報のみを指す。

第12問　★重要★

実用新案法に関する記述として、最も適切なものはどれか。

ア　実用新案権の存続期間は、実用新案登録の日から10年をもって終了する。

イ　実用新案登録出願の願書には、明細書、実用新案登録請求の範囲、図面及び要約書を添付しなければならない。

ウ　実用新案法は、物品の形状と模様の結合に係る考案のみを保護している。

エ　他人の実用新案権を侵害した者は、その侵害の行為について過失があったものと

推定される。

以下の会話は、X株式会社を経営する甲氏と、中小企業診断士であるあなたとの間で行われたものである。この会話の中の空欄AとBに入る期間と記述の組み合わせとして、最も適切なものを下記の解答群から選べ。

なお、会話の中で「マドプロ出願」とは「マドリッド協定議定書（マドリッドプロトコル）に基づく国際登録出願」を指すものとする。

甲　氏：「うちの会社の文房具は外国の方にも好まれるようで、海外でも販売していくことを計画しています。この文房具の名前を日本で商標登録出願したばかりであり、同じ商標を海外でも商標登録しておきたいのですが、どのような方法がありますか。」

あなた：「その日本の商標登録出願を基礎として、優先期間内にパリ条約による優先権を主張して外国に出願する方法があります。商標の場合、優先期間は　A　です。優先権を主張した出願は、日本の出願時に出願されたものとして登録要件を判断される、という利点があります。しかし、パリ条約による優先権を主張して出願するには、国ごとの出願手続が必要です。」

甲　氏：「うちの会社が出願したいのは、1か国や2か国ではなく、より多くの国々です。」

あなた：「多数の国に一括して出願できるマドプロ出願という制度があります。これは日本の特許庁に出願できます。」

甲　氏：「日本での商標登録出願をしたばかりなのですが、この登録を待ってからマドプロ出願をすることになりますか。」

あなた：「　B　。」

［解答群］

ア　A：6か月
　　B：日本の商標登録出願を基礎として、マドプロ出願ができます

イ　A：6か月
　　B：日本で商標登録出願をしただけでは、マドプロ出願をすることはできません。基礎となる商標が登録されるまで待つ必要があります

ウ　A：12か月

　　B：日本の商標登録出願を基礎として、マドプロ出願ができます

エ　A：12か月

　　B：日本で商標登録出願をしただけでは、マドプロ出願をすることはできません。基礎となる商標が登録されるまで待つ必要があります

第14問　　★ 重要 ★

　以下の会話は、発明家である甲氏と、中小企業診断士であるあなたとの間で行われたものである。この会話の中の空欄に入る記述として、最も適切なものを下記の解答群から選べ。

甲　氏：「私は便利な掃除用具を発明しました。われながらとても良いアイデアであり、特許を取ってみたいと考えています。そこで質問があります。

　　　　　実はこの発明を1か月前に発明展に展示してしまいました。そのときはまだ特許を取るなんて全然考えていなかったので、発明展に自発的に応募して出品しました。しかし、先週になって特許を取りたいと思うようになりました。

　　　　　新規性がないということで、この発明の特許を取得することは無理でしょうか。この発明展は1週間にわたり開催されました。一般に開放したので、老若男女問わず多くの来場者がありました。新規性を喪失しても救済される制度が特許法にあると聞きました。この制度について教えていただけないでしょうか。」

あなた：「発明の新規性喪失の例外規定ですね。　　　　　。知り合いの弁理士をご紹介しましょうか。」

［解答群］

ア　新規性を喪失した日から1年以内に特許出願をする必要があります。そして、特許を受ける権利を有する者の行為に起因して発明が新規性を喪失した場合にも、所定の手続的要件を充足することで、この適用を受けられます

イ　新規性を喪失した日から18か月以内に特許出願すればこの適用を受けられます。しかし、この適用を受けられるのは、特許を受ける権利を有する者の意に反して発明が新規性を喪失した場合に限られます

ウ　新規性を喪失した日から18か月以内に特許出願をする必要があります。そ
　　して、特許を受ける権利を有する者の行為に起因して発明が新規性を喪失し
　　た場合にも、所定の手続的要件を充足することで、この適用を受けられます

エ　新規性を喪失した日から２年以内に特許出願すればこの適用を受けられま
　　す。しかし、この適用を受けられるのは、特許を受ける権利を有する者の意
　　に反して発明が新規性を喪失した場合に限られます

第15問　　★重要★

　以下の会話は、Ｘ株式会社の広報担当者である甲氏と、中小企業診断士であ
るあなたとの間で行われたものである。この会話の中の空欄Ａ〜Ｃに入る語句
の組み合わせとして、最も適切なものを下記の解答群から選べ。

甲　氏：「弊社のパンフレットに掲載する絵柄の制作を、外部のイラストレーター乙
　　　　氏に依頼することとなりました。この絵柄の著作権について教えていただ
　　　　きたいのですが。」
あなた：「乙氏は著作権法上、　Ａ　と　Ｂ　を有します。例えば、乙氏の意に反し
　　　　て絵柄の内容を勝手に改変すると、　Ａ　の同一性保持権の侵害となりま
　　　　す。　Ａ　は　Ｃ　。」

［解答群］
ア　Ａ：著作権
　　Ｂ：著作者人格権
　　Ｃ：契約によって著作者から譲り受けることができます
イ　Ａ：著作者人格権
　　Ｂ：著作権
　　Ｃ：著作者の一身に専属し、譲り受けることができません
ウ　Ａ：著作者人格権
　　Ｂ：著作権
　　Ｃ：著作者の一身に専属し、譲り受けることができませんが、同一性保持
　　　　権を契約で譲渡の目的として規定すれば、著作者から譲り受けること
　　　　ができます

第16問　　★重要★

特許権及び著作権の共有に関する記述として、最も適切なものはどれか。なお、共有者間の契約で別段の定めはないものとする。

ア 特許権：各共有者は、他の共有者の同意を得ないで、その持分を譲渡することができる。
　　著作権：各共有者は、他の共有者の同意を得ないで、その持分を譲渡することができる。

イ 特許権：各共有者は、他の共有者の同意を得ないで、自らその特許発明の実施をすることができる。
　　著作権：各共有者は、その共有者全員の合意によらないで、自ら複製等の著作権の利用をすることができる。

ウ 特許権：各共有者は、他の共有者の同意を得なければ、その特許権について、他人に通常実施権を許諾することができない。
　　著作権：各共有者は、その共有者全員の合意によらなければ、他人に複製等の著作権の利用を許諾することができない。

エ 特許権：各共有者は、他の共有者の同意を得なければ、自らその特許発明の実施をすることができない。
　　著作権：各共有者は、その共有者全員の合意によらなければ、自ら複製等の著作権の利用をすることができない。

第17問

以下の会話は、X株式会社の代表取締役甲氏と、中小企業診断士であるあなたとの間で行われたものである。この会話に基づき下記の設問に答えよ。

甲　氏：「弊社は、Y社から商品を輸入し、国内で販売しようと考えています。それに当たって、Y社から届いた契約書案を検討しているのですが、以下の規定の中で、弊社にとって不利な箇所はありませんでしょうか。

9. Seller warrants to Buyer that the Goods purchased by Buyer from

Seller shall be free from defects in raw material and workmanship. Buyer shall indemnify and hold Seller harmless from and against any and all liabilities, damages, claims, causes of action, losses, costs and expenses (including attorneys' fees) of any kind, royalties and license fees arising from or for infringement of any patent by reason of any sale or use of the Goods.

10. If Buyer terminates this Agreement and Seller has procured raw material for such releases occurring after the termination date in accordance with Buyer's product releases, Buyer shall purchase such raw material from Seller at a price determined by Seller.」

あなた：「9条は、　　A　　という点で、10条は、御社が本契約を解除した一方で、売主が契約終了日以降の御社の製品発売に合わせて、原材料を調達していた場合に、　　B　　という点で、それぞれ御社にとって、不利な条項となっています。」

甲　氏：「ありがとうございます。その点については、Y社と交渉しようと思います。また、Y社からは、<u>日本での商品の小売価格につき、Y社が決めたものに従っていただきたいと言われています。</u>」

あなた：「その点も含めて、知り合いの弁護士を紹介しますので、相談に行きませんか。」

甲　氏：「ぜひよろしくお願いします。」

設問1 ● ● ●

会話の中の空欄AとBに入る記述の組み合わせとして、最も適切なものはどれか。

　ア　A：商品につき、売主が何らの保証もしない
　　　B：売主が決めた価格で売主から当該原材料を購入する
　イ　A：商品につき、売主が何らの保証もしない
　　　B：当該原材料がすべて消費できるまで、売主から製品を購入する
　ウ　A：商品に特許侵害があった場合、御社が責任を負う
　　　B：売主が決めた価格で売主から当該原材料を購入する
　エ　A：商品に特許侵害があった場合、御社が責任を負う
　　　B：当該原材料がすべて消費できるまで、売主から製品を購入する

　会話の中の下線部のように、商品の卸売契約において、小売価格を拘束するような規定を定めることは、わが国では違法となる可能性があるとされているが、その根拠となる法律として、最も適切なものはどれか。

ア　商法

イ　独占禁止法

ウ　特定商取引に関する法律

エ　不正競争防止法

第18問

　時効に関する記述として、最も適切なものはどれか。なお、別段の意思表示はないものとする。

ア　共同相続人に対する相続回復の請求権は、時効の完成猶予や更新がなければ、相続人又はその法定代理人が相続権を侵害された事実を知った時から3年間行使しないときは、時効によって消滅する。

イ　時効期間を延長する特約も、短縮する特約も、有効である。

ウ　人の身体の侵害による損害賠償請求権は、時効の完成猶予や更新がなければ、権利を行使することができる時から10年間行使しないときは、時効によって消滅する。

エ　人の身体を害する不法行為による損害賠償請求権は、時効の完成猶予や更新がなければ、被害者又はその法定代理人が損害及び加害者を知った時から5年間行使しないときは、時効によって消滅する。

第19問

　保証に関する記述として、最も適切なものはどれか。なお、別段の意思表示はないものとする。

ア　事業のために負担した借入金を主たる債務とし、法人を保証人とする保証契約は、その契約に先立ち、その締結の日前1か月以内に作成された公正証書で当該法人が保証債務を履行する意思を表示していなければ、その効力を生じない。

イ　主たる債務者が死亡して相続人が限定承認した場合でも、保証人は主たる債務の全額について保証債務を履行しなければならない。

ウ　保証契約がインターネットを利用した電子商取引等において、電磁的記録によっ

てされただけでは有効とはならず、電子署名が付される必要がある。
エ　保証契約締結後、主たる債務者が保証人の承諾なく、主たる債務の債務額を増額する合意をした場合、保証債務の債務額も増額される。

第20問

　相殺に関する記述として、最も適切なものはどれか。なお、別段の意思表示はないものとする。

ア　債権が差押えを禁じたものである場合でも、その債務者は、相殺をもって債権者に対抗することができる。
イ　差押えを受けた債権の第三債務者は、差押え前に取得した債務者に対する債権による相殺をもって差押債権者に対抗することはできない。
ウ　相殺の意思表示には期限を付することはできないが、条件を付することはできる。
エ　二人が互いに相手方に対し同種の目的を有する債務を負担する場合で、自働債権が弁済期にあれば、受働債権の弁済期が到来していなくとも、期限の利益を放棄することで、相殺することができる。

第21問

　被相続人Xが死亡し、相続が生じた。AはXの配偶者である。B、C、E及びGはA及びXの子である。DはCの配偶者であり、I及びJはC及びDの子である。FはEの配偶者であり、KはE及びFの子である。HはGの配偶者であり、GとHとの間には胎児Lがおり、胎児LはX死亡後に生きて生まれた。A、C及びGはX死亡以前に死亡していた（下図参照）。
　EはXの相続について相続放棄をしたが、それ以外の相続人は承認した。

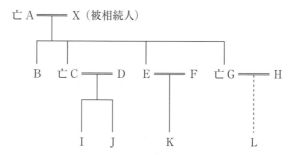

　この場合、Xの相続財産について、それぞれの相続人が相続する割合として、

最も適切なものはどれか。

　なお、遺言はなく、遺産分割協議も整っておらず、相続人はいずれも廃除されていないものとし、寄与分及び特別受益についても考慮しないものとする。

ア　Bが3分の1、Iが6分の1、Jが6分の1、Kが3分の1を相続する。

イ　Bが3分の1、Iが6分の1、Jが6分の1、Lが3分の1を相続する。

ウ　Bが4分の1、Iが4分の1、Jが4分の1、Lが4分の1を相続する。

エ　Bが4分の1、Iが8分の1、Jが8分の1、Kが4分の1、Lが4分の1を相続する。

第22問

　相続に関する記述として、最も適切なものはどれか。なお、「民法及び家事事件手続法の一部を改正する法律」（平成30年法律第72号）により改正された民法が適用されるものとし、附則に定める経過措置は考慮しないものとする。

ア　相続による権利の承継は、法定相続分を超える部分について、登記その他の対抗要件を備えなくても、第三者に対抗することができる。

イ　相続人が数人ある場合において、一部の相続人が相続放棄をしたときは、放棄をした者を除いた共同相続人の全員が共同しても、限定承認をすることができない。

ウ　相続人が相続財産である建物につき、5年の賃貸をしたとしても、単純承認をしたものとはみなされない。

エ　被相続人の配偶者が取得した配偶者居住権を第三者に対抗するためには、居住建物の引渡しでは認められず、配偶者居住権の設定の登記をしなければならない。

令和 **4** 年度
解答・解説

nswers

問題	解答	配点	正答率※	問題	解答	配点	正答率※	問題	解答	配点	正答率※
第1問	ア	4	A	第8問	エ	4	C	第17問 (設問1)	ウ	4	D
第2問	エ	4	A	第9問	イ	4	A	(設問2)	イ	4	C
第3問	エ	4	B	第10問	エ	4	B	第18問	エ	4	C
第4問	イ	4	C	第11問	ウ	4	B	第19問	イ	4	D
第5問 (設問1)	エ	4	C	第12問	イ	4	B	第20問	エ	4	C
(設問2)	ウ	4	B	第13問	ア	4	C	第21問	イ	4	B
第6問 (設問1)	ウ	4	B	第14問	ア	4	A	第22問	エ	4	D
(設問2)	ア	4	A	第15問	イ	4	B				
第7問	エ	4	A	第16問	ウ	4	B				

※TACデータリサーチによる正答率
　正答率の高かったものから順に、A〜Eの5段階で表示。
A：正答率80%以上　　　　　B：正答率60%以上80%未満　　　C：正答率40%以上60%未満
D：正答率20%以上40%未満　　E：正答率20%未満

※解答・配点は一般社団法人日本中小企業診断士協会連合会の発表に基づくものです。

第1問

　取締役会設置会社における株式の併合（株式併合）および株式の分割（株式分割）について、知識を問う問題である。

　まず、株式併合とは、2株を1株に、または5株を2株に、というように、数個の株式を合わせて、それよりも少数の株式とすることをいう（会社法第180条1項）。株式併合により、発行済株式総数は「減少」（＝空欄A）する。これに対し、株式分割とは、1株を2株に、または2株を5株に、というように、既存の株式をより細分化して、それよりも多数の株式とすることをいい、同種の株式の数を、一定の割合で増加させる結果となる（会社法第183条1項）。株式分割により、発行済株式総数は「増加」（＝空欄B）する。

　次に、株式併合や株式分割は、ともに発行済株式総数の減少（株式併合の場合）または増加（株式分割の場合）を伴うが、会社の純資産額や、資本金額を変動させるものではない。そこで、株式併合の場合も、株式分割の場合も、資本金額は、「変動しない」（＝空欄C）。

　株式併合を行うと、既存株主の持株数の減少など、株主の利益に重大な影響を与える。そこで、株式併合を行うためには、会社はその都度、①併合割合、②併合の効力発生日、③種類株式発行会社の場合には併合を行う株式の種類、④効力発生日における発行可能株式総数を定め、取締役は株主総会で株式併合を必要とする理由を説明した上で、「株主総会の特別決議」（＝空欄D）による承認が必要とされる（会社法第180条2項、4項、309条2項4号）。これに対し、株式分割は、既存株主にとって特別な不利益は想定されないため、取締役会設置会社においては取締役会決議で決定し、行うことができる（会社法第183条2項括弧書）。

　よって、**ア**が正解である。

第2問

　監査役設置会社における取締役と監査役の任期について、知識を問う問題である。

　本問では、いくつかの特別な事実を考慮しないものとする前提があるが、その意味するところも正しく評価して、空欄に入れる数字またはキーワードを判断したい。

　まず、取締役の任期は、原則として、選任後「2」（＝空欄A）年以内に終了する事業年度のうち最終のものに関する定時株主総会の終結時までである（会社法第332条1項本文）。ただし、定款または株主総会の普通決議によって、任期を短縮するこ

とができるが、本問では、そのような事情は記載されておらず、原則どおりと考えてよい。また、監査役の任期は、選任後4年以内に終了する事業年度のうち最終のものに関する定時株主総会の終結時まで（会社法第336条1項）であり、その任期を短縮することはできない。

　次に、公開会社ではない会社＝株式譲渡制限会社では、役員の任期を、選任後「10」（＝空欄B）年以内に終了する事業年度のうち最終のものに関する定時株主総会の終結時まで伸長可能である（取締役につき会社法第332条2項、監査役につき会社法第336条2項、なお、会計参与につき会社法第334条1項）。

　任期の短縮については、取締役については定款または株主総会の決議によって短縮可能である（会社法第332条1項ただし書）。しかし、監査役については、定款または株主総会の決議によっても短縮は「不可」（＝空欄C）（会社法第336条1項）である。

　ここで、本問における特別な事実について、確認しておく。

(1)　補欠取締役・補欠監査役が取締役・監査役に就任した場合の任期

　　取締役や監査役を選任する場合、これらが欠けた場合または会社法もしくは定款で定めた役員の員数を欠くこととなるときに備えて、補欠取締役や補欠監査役を選任することができる（会社法第329条3項）。この場合、補欠取締役については、定款または株主総会の決議によって、もともとの取締役の任期満了まで、と任期を短縮することができ（会社法第332条1項ただし書）、また、補欠監査役の任期については、定款によって、任期の満了前に退任した監査役の補欠として選任された監査役の任期を、退任した監査役の任期の満了する時までとすることを妨げない（会社法第336条3項）とされる。しかし、本問では、補欠取締役・補欠監査役が就任した場合の任期を考慮する必要はない。

(2)　監査等委員会設置会社・指名委員会等設置会社となるための定款変更

　　監査等委員会設置会社・指名委員会等設置会社の取締役の任期は1年（会社法第332条6項）であり、監査等委員会設置会社における監査等委員たる取締役の任期は2年（会社法第332条4項）であるが、本問の会社は、これら委員会系の会社ではないため、これらの任期を考慮する必要はない。

(3)　公開会社となるための定款変更について、考慮する必要がないことから、本問における株式会社は、株式譲渡制限会社であり、役員の任期を10年まで伸長できる。

(4)　監査役の監査権限を会計監査に限定する定款の定めを廃止する旨の定款変更がなされた場合、会計監査限定監査役の任期は、その定款変更がなされた時に満了するとされている（会社法第336条4項3号）。しかし、本問では、そのような定款変更による任期の終了について考慮する必要はない。

(5)　①委員会設置会社系（指名委員会等設置会社および監査等委員会設置会社のこ

と)、または②会計監査人設置会社かつ監査役会設置会社で取締役の任期を1年（以内）と定めた株式会社では、剰余金の配当を、株主総会の決議を経ず、取締役会決議とする旨を定款に定めることができる（会社法第459条1項）。本問は監査役設置会社を前提としており、監査役会設置会社も監査役設置会社である。しかし、本問は「定款に剰余金配当に関する特段の定めはない。」という条件のため、上記②の要件である取締役の任期「1年」（以内）を考慮する必要はない。

よって、**エ**が正解である。

第3問

令和3年3月1日施行の改正会社法による議案要領通知請求権（会社法第305条）の制限について問う問題である。

株主の共益権には、議決権のほか、各種の監督是正権があり、株主総会における株主提案権も含まれる。株主提案権の種類は、次のとおりである。

⑴　議題提案権（議題の追加を求める権利）

　　株主総会において、会議の目的である事項（議題）に一定の事項を加えることを請求する権利である（会社法第303条1項）。「取締役の選任」「監査役の選任」「定款の変更」等、議題そのものの追加を求めるものである。

⑵　議案要領の通知請求権

　　株主総会に先立って、もともとの会議の目的である事項（たとえば「取締役の選任」）について、株主が提案しようとしている議案の要領（内容）について、会社が発する株主総会招集通知に記載することを請求する権利である（会社法第305条1項）。

⑶　議案提案権

　　株主総会の場において、株主総会の会議の目的である事項（たとえば「取締役の選任」）について、議案（たとえば、甲を取締役に選任せよ。）を提案することができる権利である（会社法第304条本文）。

　　取締役会設置会社では、株主による権利濫用を防止する趣旨で、⑴議題提案権と、⑵議案要領の通知請求権は、総議決権の100分の1以上または300個以上の議決権を保有していることが要件とされる少数株主権であり、公開会社にあっては6か月以上の保有期間が必要である（会社法第303条2項、305条1項ただし書）。また、議案要領の通知請求権の行使は、株主総会の日の8週間前までにすることが必要である（会社法第305条1項）。これらに対し、⑶の議案提案権は、単独株主権であり、株式の6か月以上の保有期間は要件とされない。

　　さらに、改正会社法により、株主提案権の濫用的な行使を制限するための措置と

して、取締役会設置会社においては、株主が議案要領通知請求権を行使する場合に、同一の株主総会に提案することができる議案の数の上限を「10」に制限することとされた（会社法第305条4項、5項）。

よって、**エ**が正解である。

なお、下表に株主の監督是正権として少数株主権をまとめたので、参考にしてほしい（条文番号は会社法のもの）。

要件（総株主の議決権に占める割合）※1	要件（発行済株式総数に占める割合）※1	内　　容	保有制限※2
10％以上	10％以上	会社解散の訴え（833条）	（なし）
3％以上	（なし）	株主総会の招集請求等（297条、325条）	あり
3％以上	3％以上	業務執行検査役の選任申立て（358条）	（なし）
		会計帳簿の閲覧請求（433条）	（なし）
		清算人の解任申立て（479条）	あり
		役員の解任の訴え（854条）	あり
1％以上	（なし）	株主総会検査役の選任申立て（306条）	あり
	1％以上	多重代表訴訟※3の提起の請求（847条の3）	あり
1％以上または議決権300個以上※4	（なし）	株主総会の議題※5の追加請求等（303条、305条、325条）	あり

※1　「総株主の議決権に占める割合」または「発行済株式総数に占める割合」のいずれか一方を満たせばよい。ともに定款で引下げ可。

※2　公開会社における6か月（定款で短縮可）以上という株式保有期間の制限のこと（株式譲渡制限会社では保有期間の制限はない）。

※3　完全親会社（＝当該完全子会社の唯一の株主）に代わって、最終完全親会社等（＝最上位の親会社という意味）の株主が、役員等に対する損害賠償請求をすることができる制度のこと。

※4　取締役会設置会社の場合に必要となる（取締役会不設置会社ではこの要件はない）。

※5　「議案」の提案請求の場合には、株式数（および保有期間）の制限はない（304条）。なお、「議題」は株主総会の目的事項（たとえば、取締役の選任）をいい、「議案」は議題に対する具体的内容（たとえば、Aさんを取締役にする）をいう。

第4問

株式会社と合同会社の比較を問う問題である。

ア ✕：株式会社においては、会社成立後の株式の発行に際して、株主となる者が当該株式会社に対して出資（払込みまたは給付）をした財産の額が資本金額とされる。ただし、払込みまたは給付に係る額の2分の1を超えない額は、資本金として計上しないことができ、この場合には、資本金として計上しないこととした額は、資本準備金として計上しなければならない（会社法第445条1項〜3項）。したがって、株式会社においては、少なくとも出資額の2分の1は資本金が増加することとなる。これに対して、合同会社では、出資額のうちいくらを資本金額とするかは、業務執行社員が自由に定めることができる。出資全額を資本金として計上しないことも自由であり、この場合には資本剰余金として計上することとなる（会社計算規則第30条、31条）。したがって、合同会社では、資本金を増やさずに出資による資金調達を行うことができる。

イ ○：正しい。株式会社においては、取締役は自然人でなければならず、法人は就任することができない（会社法第331条1項1号）。これに対し、合同会社（および全ての持分会社）では、会社法第598条1項が「法人が業務を執行する社員である場合には、当該法人は、当該業務を執行する社員の職務を行うべき者を選任し、その者の氏名及び住所を他の社員に通知しなければならない。」と規定し、法人が業務執行社員に就任できることを明文で認めている。

ウ ✕：株式会社における株主の数は最低1名必要であり、合同会社の社員の数も同様である。会社法第641条4号は、持分会社が解散する場合として、「社員が欠けたこと（0人となること）。」を解散事由にあげているが、これは、社員が1名でもよいことを前提としている。

エ ✕：株式会社の株主は、「その有する株式の引受価額を限度とする」間接有限責任を負う（会社法第104条）。合同会社の社員も、間接有限責任を負う（会社法第576条4項、580条2項、578条本文）。したがって、株式会社の株主も、合同会社の社員も、有限責任である。

よって、**イ**が正解である。

第5問

（設問1）は、会社分割（吸収分割）と事業譲渡の対価について問う問題であり、（設問2）は、吸収分割と事業譲渡の手続等について問う問題である。

　事業譲渡は、本来の法的性質が、事業を対象とする売買契約であり、その対価は金銭でもよいし、財産的価値のあるものであれば、当事者が自由に定めることができる。また、会社分割（吸収分割）では、対価は、原則として承継会社の株式である。しかし、吸収型の組織再編行為では、対価の柔軟化が認められており、吸収分割においても「株式または持分に代わる金銭等」を対価とすることが認められている（会社法第758条4号、760条5号）。

　そこで、空欄Aには、「事業譲渡の場合でも、会社分割の場合でも、対価を金銭とすることはできます」が入る。

　また、事業譲渡の場合に、対価を譲受会社の株式とすることは、当事者が合意すれば自由である。また、会社分割（吸収分割）の場合には、対価が承継会社の株式であることは、吸収分割における原則的な姿である。

　そこで、空欄Bには、「事業譲渡の場合でも、会社分割の場合でも、対価を株式とすることはできます」が入る。

　よって、**エ**が正解である。

ア **×**：事業譲渡では、いわゆる反対株主に、株式買取請求権が認められている（会社法第469条1項）。また、会社分割においても、反対株主に株式買取請求権が認められる（会社法第785条）。例外的に、反対株主の株式買取請求権は、事業の全部譲渡の場合、株主総会承認決議と同時に会社を解散する決議がされた場合には認められない（会社法第469条1項括弧書、1号）。また、簡易事業譲渡や、簡易会社分割に該当する場合にも、反対株主の株式買取請求権は認められない（会社法第469条1項括弧書、2号、468条2項、797条1項ただし書、796条2項本文）。しかし、本問では、これらの事情はないものとされているので、これら例外的場合を考慮する必要はない。

イ **×**：事業譲渡の場合も、会社分割（吸収分割）の場合も、当事会社が、事業譲渡契約、吸収分割契約で定めた日に、効力が発生する（会社法第467条1項本文、758条7号）。事業譲渡の場合、事業譲渡契約の効力発生には、登記をすることは要件とされていない。

ウ **○**：正しい。会社分割では、吸収分割契約書などの事前開示書類を一定の期間、備置することが必要である（会社法第782条、794条）。これに対して、事業譲渡は、事業を目的とする売買契約であるという諾成契約としての法的性質から、会社法は、書面の作成や備置を要件としていない。

エ ✕：事業譲渡では、債権者を保護するための債権者保護手続は定められていない。これは、事業譲渡契約において、譲受会社による譲渡会社の債務の引受が約定されたとしても、債務引受について、債権者の個別の同意を要するためである。一方、会社分割においては、原則として、債権者保護手続を行うことが規定されている（会社法第789条1項2号、799条1項2号、810条1項2号）。

よって、**ウ**が正解である。

第6問

（設問1）は、公開会社と株式譲渡制限会社の比較を問う問題であり、（設問2）は、株式会社の設立の手続等について問う問題である。

設問1 ●●●

空欄Aには、公開会社ではない株式会社（株式譲渡制限会社）の特徴が記載されており、その正誤を問う問題である。

ア ✕：公開会社では、議決権制限株式を発行するときは、その数が発行済株式総数の2分の1を超えたときは、直ちに、議決権制限株式の数を発行済株式総数の2分の1以下にするための必要な措置をとらなければならない（会社法第115条）。しかし、株式譲渡制限会社では、このような制限はない。

イ ✕：社債とは、会社法の規定により会社が行う割当てにより発生する当該会社を債務者とする金銭債権であって、会社法第676条各号に掲げる事項についての定めに従い償還されるものをいう（会社法第2条23号）。社債は、会社法上の株式会社、持分会社（合名会社、合資会社、合同会社）が発行できる。株式譲渡制限会社は株式会社であるから、社債を発行できないということはない。

ウ ◯：正しい。株式譲渡制限会社の特徴として、剰余金の配当を受ける権利（会社法第105条1項1号）に関する事項について、株主総会の特殊決議により、株主ごとに異なる取扱いを定款で定めることができる（会社法第109条2項、309条4項）。原則として、株主は、その有する株式の内容および数に応じて平等に取り扱われる。これを株主平等の原則という（会社法第109条1項）。その例外として、株式譲渡制限会社では、定款で定めることによって、剰余金の配当、残余財産の分配、株主総会の議決権について株主ごとに異なる取扱いを行うことができる。これにより、たとえば、株主の持株数にかかわらず、1人1議決権や株主全員同額配当などを行うことができる。

エ ✕：株券は、株式会社の株主としての地位を表章する有価証券であるが、株券の発行は任意であり、株式会社は定款に定めることにより、株券を発行すること

ができる（会社法第214条）。株式譲渡制限会社では、定款に株券を発行すること
を定めた場合でも、株主から請求がある時までは株券を発行しなくてもよい（会
社法第215条4項）という規定はあるが、株式譲渡制限会社が定款で株券を発行
する旨を定めることができない、ということはない。

よって、**ウ**が正解である。

設問2 ●●●

空欄Bには、株式会社の設立に関する文章が入るが、その正誤を問う問題である。

ア 〇：正しい。株式会社を設立するに当たって作成する定款（原始定款）には、
絶対的記載事項として、①目的、②商号、③本店の所在地、④設立に際して出資
される財産の価額またはその最低額、⑤発起人の氏名または名称および住所（会
社法第27条）を記載（または記録）しなければ、定款全体が無効となる。商号は、
定款に必ず記載（または記録）しなければならない事項である。

イ ✕：株式会社を設立するには、発起人が定款を作成し、その全員がこれに署名
し、または記名押印しなければならない（会社法第26条1項）。また、定款は、
電磁的記録（電子的方式、磁気的方式その他人の知覚によっては認識することが
できない方式で作られる記録であって、電子計算機による情報処理の用に供され
るものとして法務省令で定めるもの）をもって作成することができ、この場合に
おいて、当該電磁的記録に記録された情報については、法務省令で定める署名ま
たは記名押印に代わる措置をとらなければならない（会社法第26条2項）。した
がって、株式会社を設立するに当たって作成する定款は、電磁的記録により作成
することができる。

ウ ✕：株式会社の設立手続は、発起設立と募集設立があるが、いずれの場合にも
最低資本金の制限はない。旧商法では、最低資本金について株式会社は1,000万
円とする規定が存在したが、現行会社法では、最低資本金制度は廃止されている。

エ ✕：会社法では、発起人は1名以上存在すればよい（会社法第26条1項）。旧
商法では、発起人の数を7名以上とする規定が存在したが、現行会社法では、発
起人は1名以上いれば足りる。

よって、**ア**が正解である。

第7問

本問は、合弁会社を設立して共同事業を行う事例を素材としているが、株式会社に
おける株主総会決議の基本を問うており、平易な問題である。

株式会社においては、株主総会における普通決議は「定款に別段の定めがある場合

を除き、議決権を行使することができる株主の議決権の過半数を有する株主が出席し、出席した当該株主の議決権の過半数をもって行う。」とされている（会社法第309条1項）。そこで、議決権制限が付されていない普通株式のみを発行する場合、出資比率がすなわち議決権比率となる。すると、X社の出資比率を「50％」（＝空欄A）とすると、X社は、合弁会社の株主総会における、いわゆる普通決議事項について拒否権を有し、単独で議案の可決を阻止することができる。Y社とZ社の議決権が合計して50％となるので、Y社とZ社が協力しても普通決議事項について過半数（50％超）を確保できないからである。また、X社の出資比率を「3分の2」（＝空欄B）とすると、株主総会のいわゆる「特別決議」（＝空欄C）事項について、単独で決定権を有することになる（会社法第309条2項）。

ところで、出資比率を大きくしなくても、重要な事項の決定について、X社の意見を反映させたい場合には、X社、Y社およびZ社の3社の株主間契約で、重要な事項の決定は、株主全員の合意によることとする定めを置くことがある。株主全員の合意が要件とされるため、重要な事項が決定できなくなる事態が生じうるが、そのような事態を「デッドロック」（＝空欄D）という。このような場合を想定した対応手順を定める株主間契約の条項を、いわゆる「デッドロック」条項という。

なお、クローバック条項とは、会社の経営陣から、在任中の報酬を取り戻す条項のことをいう（「claw back（クローバック）」とは、「取り戻す」という意味である）。役員の経営判断の誤りで会社に損害が発生した場合や、不正が発覚した場合などに、該当する役員に対して、過去に支給した役員報酬を返還させる条項で、会社と役員との間の報酬契約に盛り込んでおくものであるが、本問の空欄Dには入らない。本問は、空欄A〜Cが入れば、空欄Dがわからなくても、自動的に**エ**が選べる構造となっている。

よって、**エ**が正解である。

第8問

産業財産権4法について、横断的に知識を問う問題である。

ア　X：国内優先権制度とは、特許法における発明、実用新案法における考案について出願した後、その改良である発明や考案がなされた場合に、すでに出願した内容に改良した内容を取り込んで、すでに先にした出願日が優先日と認められた上で、一括して特許権や実用新案権が認められるという制度である（特許法第41条）。知的財産権に関するパリ条約に基づく国際出願における優先権と区別するために「国内優先権」と呼ばれる。国内優先権制度は、特許法と実用新案法で規定されており、意匠法および商標法では規定されていない。

イ ✕：出願公開制度は、出願から一定期間経過後、設定登録を待たずに出願内容を公開する制度である。産業財産権の中では、特許法（特許法第64条〜65条）、商標法（商標法第12条の２）に規定されている。特許法においては、出願日から１年６月経過すると、特許出願を特許公報に掲載することにより出願内容が公開される。商標法においては、出願があったときに商標公報に掲載することにより出願公開がなされる。これに対して、意匠法と実用新案法においては、出願公開制度は規定されていない。

ウ ✕：出願審査請求制度は、特許法においてのみ規定されている。特許出願後３年以内に審査請求があった場合にのみ出願内容について実体審査を行うという制度である（特許法第48条の３）。これに対して、商標法では、出願がされた場合には、実体審査が行われるため、出願審査請求制度は規定されていない。

エ 〇：正しい。特許法第83条は、「特許発明の実施が継続して３年以上日本国内において適当にされていないときは、その特許発明の実施をしようとする者は、特許権者または専用実施権者に対し通常実施権の許諾について協議を求めることができる。ただし、その特許発明に係る特許出願の日から４年を経過していないときは、この限りでない（同条１項）。前項の協議が成立せず、または協議をすることができないときは、その特許発明の実施をしようとする者は、特許庁長官の裁定を請求することができる（同条２項）。」と、「不実施の場合の通常実施権の設定の裁定制度」を規定している。この裁定制度は、特許権者が特許発明を実施していない場合に、第三者がその特許発明を実施したいとき、まず通常実施権の許諾を求め、許諾の協議が成立しないとき、または協議そのものができないときは、法定の裁定手続により強制的に通常実施権を設定するものである。

よって、**エ**が正解である。

第9問

特許法について問う問題である。

ア ✕：特許権者または専用実施権者は、自己の特許権または専用実施権を侵害する者または侵害するおそれがある者に対し、その侵害の停止または予防を請求することができる（特許法第100条１項）。したがって、特許権者だけでなく専用実施権者も、侵害の停止または予防を請求することができる。

イ 〇：正しい。特許権が共有に係るときは、各共有者は、契約で別段の定をした場合を除き、他の共有者の同意を得ないでその特許発明の実施をすることができる（特許法73条２項）。ちなみに、第16問も同じ論点を問うている。

ウ ✕：特許権者がその特許権について、専用実施権を設定し、登録された場合、専

用実施権者は、設定行為で定めた範囲内において、業としてその特許発明の実施をする権利を専有する（特許法第77条2項）。したがって、専用実施権が設定されると、その設定行為で定めた範囲では、特許権者といえども特許発明を実施することができない。本肢のように、特許権者と専用実施権者が実施権を共有するわけではない。

エ ✕：未成年者および成年被後見人は、法定代理人によらなければ、手続をすることができない。ただし、未成年者が独立して法律行為をすることができるときは、この限りでない（特許法第7条1項）。権利能力ある者（民法第3条）は、特許権を含め種々の権利の主体となれる。ただし、特許権の出願手続等は、専門的側面があるため、民法の一般原則より厳格に、法定代理人によることが原則とされている。しかし、未成年者は、単独で手続をすることはできないが、特許権者（権利主体）になることができないわけではない。

よって、**イ**が正解である。

著作権法の規定について問う問題である。本問は、選択肢**ア〜ウ**が「著作権法に規定されていない。」と述べているのに対し、選択肢**エ**は、「著作権法に規定されている。」と述べている。このあたりの記述の違いに着目しながら考えたい。

ア ✕：「講演」は、「言語の著作物」として著作権法に規定されている。著作権法第10条1項1号では、「言語の著作物」の例示として、「小説、脚本、論文、講演その他の言語の著作物」が明記されている。

イ ✕：「地図」は、「図形の著作物」として著作権法に規定されている。著作権法第10条1項6号では、「図形の著作物」の例示として、「地図または学術的な性質を有する図面、図表、模型その他の図形の著作物」が明記されている。

ウ ✕：「美術の著作物」は、著作権法第10条1項4号に「絵画、版画、彫刻その他の美術の著作物」として例示されている。また、同法第2条2項に、「この法律にいう「美術の著作物」には、美術工芸品を含むものとする。」と明記されている。

エ 〇：正しい。「無言劇」は、著作権法第10条1項3号に、「舞踊または無言劇の著作物」として例示されている。

よって、**エ**が正解である。

不正競争防止法について問う問題である。

ア ✕：周知表示混同惹起行為（不正競争防止法第2条1項1号）が不正競争行為と

されるのは、他社（者）が企業努力によって獲得した信用や顧客吸引力について、需要者に混同を生じさせる同一または類似の商品等表示の使用により不当に侵害する行為を、不正競争として防止しようとするためである。その対象となる商品等表示とは、「人の業務に係る氏名、商号、商標、標章、商品の容器もしくは包装その他の商品または営業を表示するもの」（同法2条1項1号括弧書）と定義されている。「人の業務に係る氏名」は、周知表示混同惹起行為において、商品等表示に含まれる。

イ ✕：商品形態模倣行為（不正競争防止法第2条1項3号）に規定する、いわゆるデッドコピー規制は、他社が資本や労力を費やして市場に出した商品を、そのまま模倣した商品を市場に出し、他人の成果にただ乗りする行為を不正競争として防止しようとするものである。その保護期間は、日本国内において最初に販売された日から3年（同法第19条1項5号イ）である。

ウ ◯：正しい。商品形態模倣行為の要件である「模倣する」とは、「この法律（不正競争防止法）において「模倣する」とは、他人の商品の形態に依拠して、これと実質的に同一の形態の商品を作り出すことをいう。」（不正競争防止法第2条5項）と、その定義が明文で規定されている。

エ ✕：限定提供データ（不正競争防止法第2条1項11〜16号）とは、「業として特定の者に提供する情報として電磁的方法（電子的方法、磁気的方法その他人の知覚によっては認識することができない方法をいう。）により相当量蓄積され、および管理されている技術上または営業上の情報（営業秘密を除く。）をいう。」（同法第2条7項）と定義されている。保護対象は、技術上の情報のみならず、営業上の情報を含む。

よって、**ウ**が正解である。

第12問

実用新案法について問う問題である。

ア ✕：実用新案権の存続期間は、実用新案登録出願の日から10年をもって終了する（実用新案法第15条）。

イ ◯：正しい。実用新案登録出願の願書には、「明細書、実用新案登録請求の範囲、図面および要約書を添付しなければならない。」（実用新案法第5条2項）。実用新案権は、物品の形状、構造または組み合わせを保護対象とするため、図面を必ず添付しなければならない。

ウ ✕：実用新案法は、物品の形状、構造または組合せに係る考案の保護および利用を図ることにより、その考案を奨励し、もつて産業の発達に寄与することを目的としている（実用新案法第1条）。考案として保護されるのは、形状、構造または

組合わせであり、物品の形状と模様の結合による考案のみを保護しているのではない。

エ ✕：実用新案権に対する侵害があった場合、侵害行為について過失は推定されない。特許法、意匠法（秘密意匠を除く。）、商標法では、権利侵害行為があった場合には、侵害行為について過失があったと推定される（特許法第103条等）。過失推定の根拠は、①特許庁による実体審査を経て権利の有効性が公認されていること、②公報により権利の内容が周知されていること、である。この両方を満たす場合には、権利者の民事的救済を図るため、侵害行為に過失があるものと推定し、その立証負担を軽減している。実用新案権の場合、無審査主義が採用され、出願すれば登録されるため、①の権利の有効性が確実ではない。そこで、過失推定の規定はない。

よって、**イ**が正解である。

第13問

知的財産権に関する国際条約（パリ条約、マドリッド協定議定書）の知識を問う問題である。パリ条約は、正式には「工業所有権の保護に関するパリ条約」という。

パリ条約は、産業財産権全般の基本的条約として1883年に成立した。同条約は、①内国民待遇の原則、②優先権制度、③相互独立の原則などを基本的考え方とする。

1．内国民待遇の原則

パリ条約第2条に定められており、「この条約で特に定める権利を害されることなく、他のすべての同盟国において、当該他の同盟国の法令が内国民に対し現在与えており、または将来与えることがある利益を享受する。」というものである。

2．優先権制度

産業財産権について、加盟国（第1国）に正規の出願をした者が、一定期間内に、別の同盟国（第2国）に同一の出願をした場合には、第1国での出願の時を基準として優先権を認める仕組みである。たとえば、日本国（同盟国）で特許または実用新案の出願をした場合、他の加盟国（同盟国）で12か月以内（意匠や商標の場合には6か月以内）に同一の出願をし、パリ条約による優先権の主張をすれば、先願の有無などについては、日本国での出願時を基準に判断されることになる。

本問で問われている権利は商標権であるから、空欄Aには、「6か月」が入る。

パリ条約では、各国で別々に出願手続をすることが必要であり、このような国際出願を、パリ条約ルートとよぶ。パリ条約の下では、産業財産権は属地主義のため、各国の知的財産権法の定める条件に従わなければならず、出願は各国別であり、登録費用も国ごとに必要となる。そこで、これらの不都合を解消するため、個別に各種の国際条約による取決めが重ねられるようになった。

このように、パリ条約においては、**特許権および実用新案権に認められる優先権は12か月であり、意匠権および商標権に認められる優先権は6か月である。**

3．相互独立の原則

　同盟国が付与した特許権等は独立のものであって、他の国（注：同盟国に限られない）における無効化を根拠として無効化されることはない。たとえば、同一の発明で日本と米国で特許を取得した場合において、米国で当該特許が無効とされたとしても、それをもって日本国の特許が無効となるわけではない。

　次に、商標権に関する国際条約マドリッド協定議定書（マドリッドプロトコル）による出願（いわゆるマドプロ出願）について検討する。

　知的財産権の保護は、前述のように、現在なお属地主義が原則とされ、各国がその国ごとに法律で保護する建前が採用されている。しかし、世界のグローバル化やインターネットの発達により、知的財産が情報として国境を越えて利用される事態が進んでいることから、属地主義を原則としつつ、さまざまな国際条約によって、知的財産権の国際的・統一的保護が図られるようになっている。商標権については、日本国も1999年に批准したマドリッド協定議定書（マドリッドプロトコル）による国際出願が認められるようになった。

　マドプロ出願では、出願人は日本国特許庁を通じてWIPO国際事務局に国際登録出願をし、加盟する国であれば複数の国を指定することができる。国際事務局では、国際登録を行って本国官庁と指定国への通知を行い、通知後1年以内に拒絶通告がなされない限り、指定国において登録商標と同一の保護が認められる。マドプロ出願では、本国で商標登録されている場合はもちろん、本国での商標登録出願をしただけの段階でも国際登録出願をすることができるメリットがある。

　本問では、X株式会社は日本での商標登録出願をした段階であるが、この場合にも国際登録出願が認められる。そこで、空欄Bには、「日本の商標登録出願を基礎として、マドプロ出願ができます」が入る。

　よって、**ア**が正解である。

第14問

　特許法の新規性喪失の例外規定について問う問題である。

　特許出願前に国内または国外で公然と知られた発明は、公知の発明となり、特許要件である新規性（特許法第29条1項）を欠くことになる。しかし、新規性を喪失したものについて、公表日から1年以内に例外規定の適用を受けたい旨の書面等を特許出願と同時に提出し、新規性喪失が特許を受ける権利を有する者の行為に起因する場合には、特許出願から30日以内に公表に係る事実を証明する書面（証明書）を提出すれ

ば、新規性喪失の例外として、特許を受けることができる（特許法第30条）。具体的なケースとしては、①特許を受ける権利を有する発明者本人の行為による公知、公用、刊行物への記載など、②特許を受ける権利を有する本人の意に反する公知、公用、刊行物への記載などがある。②の場合には、証明書の提出は不要となる。

ア　○：正しい。新規性喪失から１年以内の特許出願であれば、例外規定の適用が認められる。また、特許を受ける権利を有する者の行為に起因する場合であっても、特許出願から30日以内の証明書の提出など手続的要件を充足することで、例外規定の適用が受けられる。

イ　✕：新規性喪失の例外規定の適用を受けられるのは、公表日から１年以内の特許出願が必要であるのに18か月以内としている点、特許を受ける権利を有する者の意に反して新規性を喪失した場合に限られるとしている点が、いずれも誤りである。

ウ　✕：適用を受けられる期間を18か月以内としている点が、選択肢**イ**と同様に誤りである。特許を受ける権利を有する者の行為に起因する場合であっても、特許出願から30日以内の証明書の提出など手続的要件を充足することで、例外規定の適用が受けられる旨の記述は適切である。

エ　✕：適用を受けられる期間が２年としている点、特許を受ける権利を有する者の意に反して新規性を喪失した場合に限られるとしている点が、いずれも誤りである。

よって、**ア**が正解である。

第15問

著作権法の知識を問う問題である。

本問では、Ｘ株式会社の従業員ではなく、「外部のイラストレーター乙氏」に絵柄の制作を依頼しているため、職務著作（著作権法第15条）の適用はなく、Ｘ株式会社が著作者となることはない。そこで、乙氏は、著作者として、著作者人格権と著作権（著作財産権）を有することとなる。空欄Ａの内容として、著作者人格権のひとつである「同一性保持権」（著作権法第20条）があげられていることから、空欄Ａには、「著作者人格権」が入る。すると、空欄Ｂには、「著作権」が入ることになる。

著作者人格権は、「著作者の一身に専属し、譲渡することができない。」（著作権法第59条）権利である。そこで、空欄Ｃには「著作者の一身に専属し、譲り受けることができません」が入る。

よって、**イ**が正解である。

第16問

特許権および著作権の共有について問う問題である。同様の論点が、第９問選択肢

イでも問われている。

　権利の共有については、民法第249条以下に原則的規定が置かれているが、知的財産権各法では、権利の一体性、不可分性から、特別な規制がなされている。

　特許権（共同発明）の場合、特許を受ける権利は共同発明者の共有となり、共有者全員でなければ出願できず（特許法第38条）、特許を受ける権利を有する各共有者の持分は、他の共有者の同意を得なければ譲渡できない（同法第33条3項）。特許権の共有者は、特許発明の実施は各共有者が単独でできる（同法第73条2項）が、持分の譲渡、質権の設定や、専用実施権または通常実施権の設定の許諾は、各共有者の同意が要件とされる（同法第73条1項、3項）。

　著作権（共同著作）の場合、共同著作物の著作権は、共同著作者の共有となり、その行使には共有者全員の合意が必要とされる（著作権法第65条2項）。

ア　×：特許権の各共有者は、他の共有者の同意を得ないで、その持分を譲渡することができない（特許法第73条1項）。著作権の各共有者も、他の共有者の同意を得ないで、その持分を譲渡することができない（著作権法第65条1項）。いずれの記述も誤りである。

イ　×：特許権の各共有者は、他の共有者の同意を得ないで、自らその特許発明の実施をすることができる（特許法第73条2項）。この記述は正しい。しかし、著作権の各共有者は、その共有者全員の合意によらないで、自ら複製等の著作権の利用をすることができない（著作権法第65条2項）。同条同項には、「共有著作権は、その共有者全員の合意によらなければ、行使することができない。」と規定されている。著作権についての記述が誤りである。

ウ　○：正しい。特許権の各共有者は、他の共有者の同意を得なければ、その特許権について、他人に通常実施権を許諾することができない（特許法第73条3項）。同条同項には、「特許権が共有に係るときは、各共有者は、他の共有者の同意を得なければ、その特許権について専用実施権を設定し、または他人に通常実施権を許諾することができない。」と規定されている。また、著作権の各共有者は、その共有者全員の合意によらなければ、他人に複製等の著作権の利用を許諾することができない（著作権法第65条2項）。いずれの記述も正しい。

エ　×：特許権の各共有者は、他の共有者の同意を得ないで、自らその特許発明の実施をすることができる（特許法第73条2項）。特許権の記述が誤りである。著作権の各共有者は、その共有者全員の合意によらないで、自ら複製等の著作権の利用をすることができない（著作権法第65条2項）。この著作権の記述は正しい。

　よって、**ウ**が正解である。

第17問

国際取引における売買契約について、（設問1）は英文契約の損失負担条項の内容を、（設問2）は再販売価格の拘束について、独占禁止法の知識を問う問題である。

＜本契約書の該当条項の和訳＞

「第9条　売主は、買主が売主から購入した商品に、原材料または製造上の欠陥がないことを買主に保証する。買主は、商品の発売または使用を理由とする、あらゆる種類の責任、損害、請求、訴訟による損失、あらゆる種類の費用（弁護士費用を含む。）、特許権の侵害に起因する、または侵害された使用料およびライセンス料についての損失から、売主を補償し、免責するものとする。

第10条　買主が本契約を終了させた場合、売主が、契約終了日以降の買主の商品発売に合わせて原材料を調達していたときは、買主は、売主が決定した価格で、売主からその原材料を購入するものとする。」

設問1 ●●●

上記の契約条項は、第9条後段で、商品の発売または使用を理由とする買主X株式会社の責任を規定し、その内容として「商品に特許侵害があった場合、（買主たる）御社が責任を負う」（＝空欄A）とされている。また、第10条は、買主が本契約を解除した場合、契約終了日以降の商品発売に備えて売主が原材料を調達していたときは、「売主が決めた価格で売主から当該原材料を購入する」（＝空欄B）ことが定められており、それぞれの条項は、買主たるX株式会社にとって不利な内容となっている。

よって、**ウ**が正解である。

設問2 ●●●

「日本での商品の小売価格につき、Y社が決めたものに従っていただきたい」との主張について検討する。国際売買契約の内容を、どのように定めるかは原則として自由であるが、X株式会社は、日本国内における商品発売について、日本国法による規制に服する。X株式会社が、自らが発売者として商品を販売する際に、Y社との売買契約による合意内容に従って、商品の販売価格をY社が決めた価格とすることは、少なくとも契約上の問題はない。しかし、卸売契約の売主であるX株式会社が、日本国内の流通プロセスで、卸売契約の内容として小売価格を拘束するような規定を定めることは、再販売価格の拘束として、独占禁止法に抵触し、違法となる可能性がある。独占禁止法は、第2条9項4号において、次のような再販売価格拘束行為を「不公正な取引方法」として、原則として違法としている。

「自己の供給する商品を購入する相手方に、正当な理由がないのに、次のいずれかに掲げる拘束の条件を付けて、当該商品を供給すること。イ．相手方に対しその販売する当該商品の販売価格を定めてこれを維持させることその他相手方の当該商品の販売価格の自由な決定を拘束すること。ロ．相手方の販売する当該商品を購入する事業者の当該商品の販売価格を定めて相手方をして当該事業者にこれを維持させることその他相手方をして当該事業者の当該商品の販売価格の自由な決定を拘束させること。」

　このように、商品の卸売契約において、小売価格を拘束するような規定を定めることは、わが国では独占禁止法違反として違法となる可能性がある。

　よって、**イ**が正解である。

第18問

時効について知識を問う問題である。

ア ✕：相続回復請求権とは、真正の相続人が、相続権の確認を求め、相続財産の返還など相続権の侵害を排除して相続権を回復することを求める権利である（民法第884条）。相続回復請求権は、「相続人またはその法定代理人が相続権を侵害された事実を**知った時から５年間**行使しないときは、時効によって消滅する。相続開始の時から20年を経過したときも、同様とする。」と規定されている。相続権を侵害された事実を知った時から「３年間」ではない。

イ ✕：時効期間を伸長する特約（たとえば、消滅時効期間が５年であるところを20年に伸ばす特約）は、①永続した事実状態の尊重という時効制度の本来の趣旨をないがしろにすること、②債権者が債務者の窮状に乗じて、あらかじめ消滅時効の利益を放棄させるに等しい弊害を生じさせる可能性があるため、無効と解されている。これに対して、時効期間を短縮する特約は、伸長の場合のような弊害は一般には考えにくいため、契約自由の原則に従って、有効と解されている。

ウ ✕：人の身体に関する損害賠償請求権は、時効の完成猶予や更新がなければ、権利を行使することができる時から、「20年間」行使しないときは、時効によって消滅する（民法第166条１項２号、167条）。

エ 〇：正しい。人の身体を害する不法行為による損害賠償請求権は、時効の完成猶予や更新がなければ、被害者またはその法定代理人が、損害および加害者を知った時から５年間行使しないときは、時効によって消滅する（民法第724条１号、724条の２）。

　よって、**エ**が正解である。

<不法行為と債務不履行の消滅時効期間（権利行使期間）>

	不法行為	債務不履行
一般の損害賠償請求権	① 損害および加害者を知った時から3年 ② 不法行為の時から20年	① 権利を行使することができることを知った時から5年 ② 権利を行使することができる時から10年
人の生命または身体の侵害による損害賠償請求権	① 損害および加害者を知った時から5年 ② 不法行為の時から20年	① 権利を行使することができることを知った時から5年 ② 権利を行使することができる時から20年

※ いずれも、①②のいずれか早いほうの時の経過をもって消滅時効が完成する。

第19問

保証契約の知識を問う問題である。

ア ✗：民法は、事業に係る債務についての保証に関する特則を置き、保証が慎重になされるよう図っている。民法第465条の6第1項は、「事業のために負担した貸金等債務を主たる債務とする保証契約または主たる債務の範囲に事業のために負担する貸金等債務が含まれる根保証契約は、その契約の締結に先立ち、その締結の日前1箇月以内に作成された公正証書で保証人になろうとする者が保証債務を履行する意思を表示していなければ、その効力を生じない。」と規定し、事業用融資の保証意思確認を厳格にしている。ただし、同条3項は、「前2項の規定は、保証人になろうとする者が法人である場合には、適用しない。」として、個人が保証人となる場合に適用を限定している。法人を保証人とする場合には、公正証書による保証意思確認は不要である。

イ ◯：正しい。主たる債務者が死亡して、相続人が限定承認をした場合、限定承認をした相続人は、相続財産の限度で有限責任を負う。つまり、相続の対象となった主債務が消滅するわけではなく、限定承認をした相続人の責任が限定されるだけである。主たる債務の全額が存在する以上、保証人はその全額について保証債務を履行しなければならない。

ウ ✗：保証契約は、書面でされない限り無効である（民法第446条2項）。また、保証契約が、その内容を記録した電磁的記録によってされたときは、その保証契約は、書面によってされたものとみなされる（同条3項）。同条が書面または電磁的記録によることを保証契約の有効要件とした趣旨は、保証契約の内容を明確に確認し、保証意思が客観的に明らかになることを通じて、保証をするに当たっての慎重さを要求することにある。そこで、保証契約の明確性と保証意思確認がなされれば足り、電子署名といった方式までは必要とされない。

解答・解説

4年度

エ ✗：保証契約の締結後、主たる債務者が保証人の承諾なく、主たる債務の債務額を増額する合意をした場合、保証債務の内容も増額されるとすると、保証人に不測の負担を生じさせることになる。そこで、「主たる債務の目的または態様が保証契約の締結後に加重されたときであっても、保証人の負担は加重されない。」（民法第448条2項）と、明文で保証人の負担が過重されないことが規定されており、保証債務の債務額が増額されることはない。

よって、**イ**が正解である。

第20問

民法の相殺について問う問題である。

相殺とは、債務者が債権者に対して同種の債権を有する場合に、その債権と自己の債務を対当額につき一方的意思表示によって消滅させることをいう（民法第505条）。相殺をする（申し込む）ほうの債権を「自働債権」といい、相殺される（申し込まれる）ほうの債権を「受働債権」という。相殺には、①簡易決済機能（対当額については、両者が合計2回の弁済をする必要がなく、簡易に決済できること）、②公平保持機能（当事者の一方の資力が悪化した場合に、他方だけが弁済することになる不公平を回避できること）、③担保的機能（自働債権の債権者は、相手方に対して負っている債務の額の限度では、相殺によって、他の債権者に優先して自己の債権を回収することができること）がある。

相殺をするためには、両当事者間に相殺に適した状況があることが必要であり、これを「相殺適状」という。相殺適状の要件は、①同一当事者間に対立する債権が存在すること、②両債権が同種の目的を有すること、③両債権の弁済期が到来していること、である（民法第505条1項）。

ア ✗：「債権が差押えを禁じたものであるときは、その債務者は、相殺をもって債権者に対抗することができない。」（民法第510条）。差押禁止債権とは、給与や年金、生活保護費のように、債権者に日常生活資金を付与するための給付を内容とする債権であるから、その債務者からの相殺によって現実の給付を受ける権利を奪うことは許されないからである。

イ ✗：差押えを受けた債権の第三債務者は、差押え後に取得した債権による相殺をもって差押債権者に対応することはできないが、差押え前に取得した債務者に対する債権をもって差押債権者に対抗することができる（民法第511条1項）。

ウ ✗：相殺は、相殺適状にあれば、一方的な意思表示によって行うことができる。しかし、相殺の意思表示に条件や期限を付することは、相手方の立場を非常に不安定にすることから、禁止されている（民法第506条1項後段）。

エ ○：正しい。相殺適状の要件は、自働債権および受働債権の弁済期が到来していることである。しかし、自働債権の弁済期が到来していれば、相殺するほうの自働債権の債権者（受働債権の債務者）は、受働債権について期限の利益を放棄できる（民法第136条２項）から、相殺をすることができる。つまり、自働債権の弁済期が到来していれば、受働債権の弁済期が到来していなくとも、期限の利益を放棄することで、相殺することができる。

よって、**エ**が正解である。

第21問

相続分について問う問題である。

被相続人Ｘが死亡し、相続が生じた。Ｘの配偶者ＡはＸ死亡以前に死亡しており、相続人とならない。子Ｂは相続人となる。子ＣもＸ死亡以前に死亡しているが、この場合には代襲相続が生じる。「被相続人の子が、相続の開始以前に死亡したときは、その者の子がこれを代襲して相続人となる。」（民法第887条２項本文）。この規定により、Ｃの子Ｉ、Ｊは代襲相続人となり、その相続分はＣが本来相続すべき割合となる（民法第901条１項本文）。子Ｅは相続放棄をしており、初めから相続人でなかったものとみなされる（民法第939条）。したがって、Ｅの子Ｋは代襲相続人となることはない。子Ｇは、被相続人Ｘの死亡以前に死亡しており、Ｇの子Ｌは、Ｘ死亡後に生まれているが、胎児は死体で生まれた場合を除き、相続についてはすでに生まれたものとみなされる（民法第886条１項、２項）ので、Ｇを代襲相続することとなる。

以上から、相続人は、Ｂ、Ｉ、Ｊ、Ｌとなる。そして、ＩとＪの相続分は、被代襲者Ｃのものを２人で按分することとなる。そこで、相続分は、Ｂが３分の１、Ｉが６分の１、Ｊが６分の１、Ｌが３分の１となる。

よって、**イ**が正解である。

第22問

相続についての民法の改正点を問う問題である。

ア ×：従来、相続させる旨の遺言等により承継された財産については、法定相続分を超える部分についても、登記等の対抗要件を具備していなくても、第三者に対抗できるとされていた。これが、令和元年７月１日改正により、「相続による権利の承継は、遺産の分割によるものかどうかにかかわらず、次条および第901条の規定により算定した相続分（法定相続分）を超える部分については、登記、登録その他の対抗要件を備えなければ、第三者に対抗することができない。」（民法第899条の２第１項）とされ、法定相続分を超える権利の承継については、対抗要件を備えな

ければ第三者に対抗することができないようになった。

イ ✕：相続人が数人ある場合において、限定承認をするときは、相続人全員で限定承認の申述をしなければならない（民法第923条）。一方、一部の相続人が相続放棄をしたときは、相続放棄をした相続人は、その相続に関しては、初めから相続人とならなかったものとみなされる（民法939条）。つまり、相続放棄をした者以外が相続人となるから、その全員で限定承認をすることができる。このように、共同相続人の一部が限定承認を、一部が相続放棄をすることもできる。

ウ ✕：単純承認とは、相続人が無限に被相続人の権利義務の承継を承認することである。民法第921条は、①相続人が相続財産の全部または一部を処分したとき（同条1号）、②法定の期間内に限定承認または相続放棄をしなかったとき（同条2号）、③相続人が限定承認または相続放棄をした後であっても、相続財産の全部または一部を隠匿し、私的に消費したとき（同条3号）等を法定の単純承認の原因として規定している。ただし、①の場合に、相続財産についての保存行為および民法第602条に定める期間を超えない賃貸（短期賃貸借）をすることは、法定の単純承認の原因から除外されている。民法第602条に定める、いわゆる短期賃貸借は、建物については3年（民法第602条3号）とされている。そこで、相続人が相続財産である建物につき、5年の賃貸をした場合には、単純承認したものとみなされる。たとえば、相続人Aが、相続財産である建物Xについて、第三者Bに貸したとする。このとき、その賃貸期間が、3年以内であれば、単純承認をしたものとはみなされない。しかし、3年を超える賃貸期間の場合、Aは、単純承認したものとみなされる。

エ ◯：正しい。相続開始時において、配偶者が被相続人所有の建物に居住していた場合、配偶者は①遺産分割において配偶者居住権を取得し、または②配偶者居住権が遺贈の目的とされたことにより、終身または遺産分割協議で定められた期間、その建物に無償で居住する権利（配偶者居住権）が認められる（民法第1028条）。ただし、配偶者居住権を第三者に対抗するためには、居住建物の引渡しだけでなく、配偶者居住権の登記をすることが必要である（民法第1031条2項、605条）。配偶者居住権は、令和2年4月1日改正で創設された。

よって、**エ**が正解である。

令和**3**年度問題

uestions

第1問

会社法が定める株式会社の社債に関する記述として、最も適切なものはどれか。

なお、本問における会社は取締役会設置会社である。

ア　公開会社ではない会社においては、社債の募集事項の決定は、株主総会の決議によらなければならない。

イ　公開会社においては、社債の募集事項の決定は、すべて取締役会の決議によらなければならず、代表取締役に委任できる事項はない。

ウ　社債権者は、社債の種類ごとに社債権者集会を組織する。

エ　社債を発行する場合、発行する社債の総額が1億円以上である場合には、必ず、社債管理者を設置しなければならない。

第2問

民法が定める消費貸借に関する記述として、最も適切なものはどれか。

なお、「民法の一部を改正する法律」（平成29年法律第44号）により改正された民法が適用されるものとし、附則に定める経過措置及び特約は考慮しないものとする。

ア　金銭の消費貸借契約がその内容を記録した電磁的記録によってなされたとしても、その消費貸借は、諾成的消費貸借契約としての効力を有することはない。

イ　書面により金銭の消費貸借契約を締結した場合、貸主から金銭を受け取る前に借主が破産手続開始の決定を受けたときは、当該消費貸借は、その効力を失う。

ウ　書面により金銭の消費貸借契約を締結した場合、借主は、貸主から金銭を受け取る前であっても、当該契約を解除することはできない。

エ　書面により金銭の消費貸借契約を締結した場合、当該契約書に返還時期を定めたときは、借主は、当該返還時期まで、金銭を返還することはできない。

第3問

いわゆる簡易合併手続に関する会社法における記述として、最も適切なものはどれか。

ア　簡易合併手続においては、存続会社のすべての株主に株式買取請求権が認められるが、存続会社における債権者保護手続は不要である。

イ　簡易合併手続は、吸収合併契約締結から合併の効力発生日まで20日あれば、実施することが可能である。

ウ　簡易合併手続は、存続会社及び消滅会社のいずれにおいても、合併承認に係る株主総会の決議を不要とする手続である。

エ　存続会社の全株式が譲渡制限株式であり、かつ、合併対価の全部又は一部がかかる存続会社の譲渡制限株式である場合、簡易合併手続を用いることはできない。

第4問

破産手続及び民事再生手続に関する記述として、最も適切なものはどれか。

ア　破産手続においては、否認権は認められているが、民事再生手続においては、否認権は一切認められていない。

イ　破産手続においては、別除権が認められているため、担保権者は破産手続によらずに担保権を行使することができるが、民事再生手続においては、別除権は認められていないため、担保権者は民事再生手続外で、担保権を行使することはできない。

ウ　破産手続においては、法人・自然人を問わず、破産者の破産手続開始時におけるすべての財産が破産財団となり、そのすべての財産を金銭に換価して配当に充てることとなるが、民事再生手続においては、必ずしも、民事再生手続開始時におけるすべての財産を換価するものではない。

エ　破産手続は、申立てによる他、裁判所の職権によって開始する場合もある。

第5問　★重要★

下表は、不当景品類及び不当表示防止法（以下「景表法」という。）に基づく懸賞による景品類の提供に関する景品類の限度額をまとめたものである。空欄AとBに入る数値の組み合わせとして、最も適切なものを下記の解答群から選べ。

なお、本問においては、新聞業等の特定の業種に対する業種別の景品規制は考慮しないものとする。

	景品類の限度額	
	最高額	（景品類の）総額
共同懸賞	取引価額にかかわらず 　A　万円	懸賞に係る売上予定総額の 3％
一般懸賞	取引価額が 5,000 円未満の場合 ⇒取引価額の 20 倍	懸賞に係る売上予定総額の 　B　％
	取引価額が 5,000 円以上の場合 ⇒ 10 万円	

［解答群］

ア　A： 30　　B：2

イ　A： 30　　B：3

ウ　A： 50　　B：2

エ　A：100　　B：3

第6問

　会社法が定める取締役会と監査役会の比較に関する記述として、最も適切なものはどれか。

　なお、本問における会社は、監査役会設置会社であって、公開会社ではなく、かつ、大会社ではない。また、定款に別段の定めはないものとする。

ア　取締役会：取締役会の決議に参加した取締役であって、当該決議に係る議事録に異議をとどめないものは、その決議に賛成したものと推定される。

　　監査役会：監査役会の決議に参加した監査役であって、当該決議に係る議事録に異議をとどめないものは、その決議に賛成したものと推定される。

イ　取締役会：取締役会は、2 か月に 1 回以上開催しなければならない。

　　監査役会：監査役会は、取締役会が開催される月には開催しなければならない。

ウ　取締役会：取締役会は、取締役の全員が招集手続の省略に同意すれば、監査役が同意しなくても、招集手続を省略して開催することができる。

　　監査役会：監査役会は、監査役の全員が招集手続の省略に同意すれば、招集手続を省略して開催することができる。

エ　取締役会：取締役会を構成する取締役のうち 2 人以上は、社外取締役でなければならない。

監査役会：監査役会を構成する監査役のうち半数以上は、社外監査役でなければ
　　　　　ならない。

第7問

　以下の会話は、X株式会社（以下「X社」という。）の代表取締役甲氏と、中小企業診断士であるあなたとの間で行われたものである。この会話を読んで、下記の設問に答えよ。

　なお、甲氏は、現在、77歳であり、配偶者（α）と2人の子（βとγ）がいる。また、X社は、公開会社ではなく、かつ、大会社ではない。

甲　氏：「私も、77歳なので、最近、X社の事業承継はどうしたらよいかを考えています。現在、X社の株式は、私が80％、10年前に70歳でX社を退職した乙氏が20％持っています。αとγは、X社の仕事をしていないので、私が死んだ後は、私の持っているX社の株式はすべてβに相続させたいと考えています。βに相続させるに当たって、注意点はありますか。」

あなた：「甲さんは、X社の株式の他にも、自宅や預貯金の財産をお持ちですので、遺言書を作って、これらの分配方法を定めておくことがよいと思いますが、遺言では、相続人の<u>遺留分</u>に注意する必要があります。」

甲　氏：「分かりました。私の財産は、ほとんどがX社の株式なので、遺留分のことを考えるとαとγにもX社の株式を相続させることになるかもしれません。この場合でも、αとγがX社の経営に口を挟むことなく、βが自分の考えに従ってX社を経営してほしいと思っています。何か方法はありますか。」

あなた：「αさんとγさんにもX社の株式を相続させることとする場合には、議決権制限株式を発行し、βさんには普通株式、αさんとγさんには議決権制限株式を相続させるという方法を検討しておくことが考えられます。法律上、
　　　　　　 A 。」

甲　氏：「乙氏は最近病気がちのようで、相続が発生するかもしれません。正直、乙氏の相続人の丙氏とはそりが合わないので、丙氏にはX社の株主にはなってもらいたくありません。何か方法はありますか。」

あなた：「相続人に対する売渡請求に関する定款変更を行い、乙氏が死亡した場合には、X社から乙氏の相続人に対し、株式の売渡請求を行うことができるようしておくことが考えられます。 **B** 。」

会話の中の下線部の「遺留分」に関する記述として、最も適切なものはどれか。

ア　遺留分侵害額の請求権は、遺留分権利者が、相続の開始及び遺留分を侵害する贈与又は遺贈があったことを知った時から3か月間行使しないときは、時効によって消滅する。

イ　相続の開始前における遺留分の放棄は、家庭裁判所の許可を受けたときに限り、その効力を生じる。

ウ　「中小企業における経営の承継の円滑化に関する法律」に基づく遺留分に関する民法の特例である除外合意、固定合意は、遺留分を有する先代経営者（旧代表者）の推定相続人の過半数が合意の当事者であれば、その効力を生じる。

エ　配偶者 a の遺留分の額は、遺留分を算定するための財産の価額の2分の1、子 γ の遺留分の額は4分の1である。

会話の中の空欄AとBに入る記述の組み合わせとして、最も適切なものはどれか。

ア　A：この議決権制限株式は、公開会社ではない会社では、発行限度の定めはありません

　　B：この相続人に対する売渡請求は、相続があったことを知った日から1年以内に行使しなければなりませんので、注意が必要です

イ　A：この議決権制限株式は、公開会社ではない会社では、発行済株式総数の2分の1までしか発行できませんので、注意が必要です

　　B：この相続人に対する売渡請求は、相続があったことを知った日から2年以内に行使しなければなりませんので、注意が必要です

ウ　A：この議決権制限株式は、公開会社ではない会社では、発行済株式総数の2分の1までしか発行できませんので、注意が必要です

　　B：この相続人に対する売渡請求は、相続があったことを知った日から6か月以内に行使しなければなりませんので、注意が必要です

エ　A：この議決権制限株式は、公開会社ではない会社では、発行済株式総数の5分の1までしか発行できませんので、注意が必要です

　　B：この相続人に対する売渡請求は、相続があったことを知った日から1年以

第8問　★重要★

不正競争防止法に関する記述として、最も適切なものはどれか。

ア　不正競争防止法第2条第1項第1号に規定する、いわゆる周知表示混同惹起行為において、商品の容器は「商品等表示」に含まれる。

イ　不正競争防止法第2条第1項第2号に規定する、いわゆる著名表示冒用行為と認められるためには、他人の商品又は営業と混同を生じさせることが一つの要件となる。

ウ　不正競争防止法第2条第1項第4号乃至第10号で保護される営業秘密となるためには、秘密管理性、進歩性、有用性が認められる必要がある。

エ　不正競争防止法第2条第1項第4号乃至第10号で保護される営業秘密は営業上の情報を指し、技術上の情報を含まない。

第9問　★重要★

意匠登録制度に関する記述として、最も適切なものはどれか。

ア　アイスクリームの形状は時間の経過により変化するため、意匠登録できる場合はない。

イ　意匠登録出願人は、意匠権の設定の登録の日から3年以内の期間を指定して、その期間その意匠を秘密にすることを請求することができる旨が意匠法に規定されている。

ウ　乗用自動車の形状は意匠登録できる場合はない。

エ　同時に使用される一組の飲食用ナイフ、フォーク、スプーンのセットの各々に同一の模様を施したとしても、これらを一意匠として出願し登録することはできない。

第10問

特許法の規定に関する記述として、最も適切なものはどれか。

ア　2以上の発明は、いかなる場合も1つの願書で特許出願をすることはできない。

イ　願書には、明細書、特許請求の範囲、図面及び要約書をすべて必ず添付しなければならない。

ウ　特許請求の範囲に記載する特許を受けようとする発明は、発明の詳細な説明に記

載したものであることが必要である。

エ　特許請求の範囲には、請求項に区分して、各請求項ごとに特許出願人が特許を受けようとする発明を特定するために必要と認める事項のすべてを記載する必要はない。

第11問　　★ 重要 ★

特許権等の侵害や発明の実施に関する記述として、最も適切なものはどれか。

ア　他人の専用実施権を侵害しても、その侵害の行為について過失があったものと推定されない。

イ　物を生産する機械の発明において、その機械により生産した物を輸入する行為は、当該発明の実施行為に該当する。

ウ　物を生産する方法の発明において、その方法により生産した物を輸出する行為は、当該発明の実施行為には該当しない。

エ　物を生産する方法の発明について特許がされている場合において、その物が特許出願前に日本国内において公然知られた物でないときは、その物と同一の物は、その方法により生産したものと推定される。

第12問

以下の会話は、地方都市であるＡ市の経済団体の理事であるＸ氏と、中小企業診断士であるあなたとの間で行われたものである。この会話の中の空欄①と②に入る記述の組み合わせとして、最も適切なものを下記の解答群から選べ。なお、実在する特産品を考慮する必要はない。

Ｘ　氏：「私が住むＡ市内のＡ漁港で水揚げされるマグロは、身がぷりぷりしていて、脂ものっていてとてもおいしいです。地元の旅館や飲食店でお客さんに大好評で、地元のスーパーでもこの刺身のコーナーが設けられているほどです。ここ10年くらいは隣接他県でも知られており、わざわざ隣の県から買いに来る人もいます。

　　　　しかしそれでも地方都市なものですから、全国的に知られているということはなく、リサーチして遠隔地の消費者に聞いてみたのですが、このマグロを知らないという回答がほとんどでした。地域活性化のためにも、『Ａまぐろ』というブランドで全国的に知らしめて売り出したいです。地域ブランドを商標登録する方法があると聞いたのですが、詳しく教えていただ

けませんか。」

あなた：「地域団体商標のことですね。登録が認められるには要件がいろいろとあるようですが。」

Ｘ　氏：「『名産』の文字を付して、『Ａ名産まぐろ』という文字からなる地域団体商標は登録可能ですか。」

あなた：「　　①　　。」

・・・　中略　・・・

Ｘ　氏：「実は、Ａ市には、マグロの他にもわかめ、魚の缶詰、漬物など特産物がたくさんあり、今後、様々な商品に『Ａ』の名前を付けて売り出していくつもりです。まだ、どのような商品に付するか未定です。『Ａ』の文字からなる商標を地域団体商標として登録することは可能ですか。」

あなた：「　　②　　。」

・・・　中略　・・・

あなた：「近いうちに地元の弁理士さんをご紹介しますよ。」

［解答群］

ア　①：いいえ、『名産』の文字を付すると、地域団体商標としての登録は認められなくなります。『Ａまぐろ』という文字からなる地域団体商標であれば登録可能です

　　②：いいえ、地域の名称のみからなる商標は、地域団体商標として登録を受けることができません

イ　①：いいえ、『名産』の文字を付すると、地域団体商標としての登録は認められなくなります。『Ａまぐろ』という文字からなる地域団体商標であれば登録可能です

　　②：はい、地域の名称のみからなる商標も、地域団体商標として登録を受けることができます

ウ　①：はい、制度的には登録可能です

　　②：いいえ、地域の名称のみからなる商標は、地域団体商標として登録を受けることができません

エ　①：はい、制度的には登録可能です

　　②：はい、地域の名称のみからなる商標も、地域団体商標として登録を受けることができます

次の文章を読んで、問題に答えよ。

株式会社甲（以下「甲社」という。）は、商標「○○○」を付した洋菓子Ａを製造販売している。

ところが、甲社は昨日、株式会社乙（以下「乙社」という。）から、次の趣旨の警告書を受け取った。

＊＊＊＊＊＊＊＊＊＊＊＊＊＊＊＊＊＊＊＊＊＊＊＊＊＊＊＊＊＊＊＊＊＊＊＊＊＊

貴社の製造販売する洋菓子Ａの商標「○○○」は、弊社が指定商品「洋菓子」について商標登録を受けた商標と類似である。直ちに商標「○○○」を付した洋菓子の製造販売を中止するように。

＊＊＊＊＊＊＊＊＊＊＊＊＊＊＊＊＊＊＊＊＊＊＊＊＊＊＊＊＊＊＊＊＊＊＊＊＊＊

この警告書を受けて甲社から、中小企業診断士のあなたは相談を受けた。

あなたは、甲社が商標「○○○」について先使用権を主張できる可能性があると考え、この旨を甲社に告げた。

先使用権に関する以下のあなたの説明の空欄に入る記述として、最も適切なものを下記の解答群から選べ。

あなた：日本国内において不正競争の目的でなく、　　　　　、御社は継続して洋菓子Ａについて御社商標「○○○」の使用をする権利を有します。この権利は先使用権と呼ばれ、商標法に規定されています。

［解答群］

ア　乙社の商標登録出願後であってもその商標が登録される前から、御社が洋菓子Ａについて御社商標「○○○」を使用していた結果、乙社の商標登録の際、現に御社商標「○○○」が御社の業務に係る洋菓子Ａを表示するものとして、需要者の間に広く認識されているときは

イ　乙社の商標登録出願後であってもその商標が登録される前から、御社が洋菓子Ａについて御社商標「○○○」を使用してさえいれば、乙社の商標登録の際、現に御社商標「○○○」が御社の業務に係る洋菓子Ａを表示するものとして、需要者の間に広く認識されていないときでも

ウ　乙社の商標登録出願前から、御社が洋菓子Ａについて御社商標「〇〇〇」
　　を使用していた結果、乙社の商標登録出願の際、現に御社商標「〇〇〇」が
　　御社の業務に係る洋菓子Ａを表示するものとして、需要者の間に広く認識さ
　　れているときは
　エ　乙社の商標登録出願前から、御社が洋菓子Ａについて御社商標「〇〇〇」
　　を使用してさえいれば、乙社の商標登録出願の際、現に御社商標「〇〇〇」
　　が御社の業務に係る洋菓子Ａを表示するものとして、需要者の間に広く認識
　　されていないときでも

　特許協力条約（PCT）に基づく国際出願制度に関する以下の文章において、
空欄ＡとＢに入る記述の組み合わせとして、最も適切なものを下記の解答群か
ら選べ。

　先願主義の下、出願人は一日も早い出願日を確保することを望むため、PCTによ
る国際出願は有用な制度である。国際的に統一された出願書類を加盟国である自国の
特許庁に提出することにより、その国際出願はすべての加盟国において国内出願した
のと同様の効果が得られる。例えば、日本の特許庁に対しては日本語又は英語で作成
した国際出願願書を１通提出すればよい。
　国際出願がされた国内官庁を受理官庁という。受理官庁は一定の要件が受理の時に
満たされていることを確認することを条件として、国際出願の受理の日を国際出願日
として認める。
　各国際出願は国際調査の対象となり、出願人の請求により国際予備審査も行われる。
出願人はこれらの結果を利用して、自身の発明の特許性を判断できる。
　国際出願人は、各国で審査を受けるに際し、　　Ａ　　。
　各国の特許庁は、　　Ｂ　　。

［解答群］
　ア　Ａ：所定の翻訳文を提出する等の「国内移行手続」を行う必要がある
　　　Ｂ：それぞれの特許法に基づいて特許権を付与するか否かを判断する
　イ　Ａ：所定の翻訳文を提出する等の「国内移行手続」を行う必要がある
　　　Ｂ：それぞれの特許法に基づいて特許権を付与するか否かを判断すること
　　　　　はできず、国際調査の結果と同じ判断を下す必要がある

ウ　A：何ら手続きを行う必要はない。国際出願された書類がそのまま受理官
　　　　　庁から各国に送付され、審査が開始されるからである
　　　B：それぞれの特許法に基づいて特許権を付与するか否かを判断する
エ　A：何ら手続きを行う必要はない。国際出願された書類がそのまま受理官
　　　　　庁から各国に送付され、審査が開始されるからである
　　　B：それぞれの特許法に基づいて特許権を付与するか否かを判断すること
　　　　　はできず、国際調査の結果と同じ判断を下す必要がある

第15問　★重要★

産業財産権法に関する記述として、最も適切なものはどれか。

ア　意匠法には、出願公開制度が規定されている。
イ　実用新案法には、出願審査請求制度が規定されている。
ウ　商標法には、国内優先権制度が規定されている。
エ　特許法には、新規性喪失の例外規定が規定されている。

第16問

　以下の会話は、X株式会社の代表取締役甲氏と、中小企業診断士であるあなたとの間で行われたものである。この会話を読んで、下記の設問に答えよ。

甲　氏：「弊社が特許を取得した包丁の発明について、Y社から、その包丁を製造させて欲しいという申し出がありました。弊社としては、弊社の工場の生産能力にも限界があるので、ライセンス契約を締結しようと考えていますが、ライセンス契約には様々な種類があると聞きました。どのようなライセンス契約が適切でしょうか。」

あなた：「特許権のライセンスとしては、大きく分けて、専用実施権と通常実施権というものがあります。専用実施権は、　A　により、効力を生じることになります。その場合、設定行為で定めた専用の範囲内については、御社は、　B　。また、Y社、その範囲内で、侵害行為者に対して、差止めや損害賠償請求ができるようになります。」

甲　氏：「なるほど。では、通常実施権はどういうものでしょうか。」

あなた：「通常実施権は、御社とY社との契約により効力を生じ、Y社は契約で定めた範囲内で、その発明を実施することができるようになります。」

問題

3年度

143

甲　氏：「実は、Ｙ社からは、Ｙ社以外の第三者との間ではライセンス契約を締結しないで欲しい、その旨を弊社との間のライセンス契約で定めて欲しいと言われており、弊社としても、検討中なのですが、通常実施権につき、そもそもそのような契約は可能なのでしょうか。」

あなた：「可能です。そして、　Ｃ　。」

甲　氏：「そのような契約をした場合、Ｙ社は、侵害行為者に対して、独断で、差止めや損害賠償請求ができるようになるのでしょうか。」

あなた：「独占以外の特約がない場合、特許権者である御社の有する権利の代位行使は除き、固有の権利としては、差止請求は　Ｄ　とされており、損害賠償請求は認められるとされています。私の知り合いの弁護士を紹介しますので、相談されてはいかがでしょうか。」

甲　氏：「ありがとうございます。ぜひよろしくお願いします。」

設問1 ● ● ●

会話の中の空欄ＡとＢに入る記述の組み合わせとして、最も適切なものはどれか。

ア　A：御社とＹ社との契約
　　B：Ｙ社の許諾なくして実施することができます

イ　A：御社とＹ社との契約
　　B：Ｙ社の許諾なくして実施することはできません

ウ　A：御社とＹ社との契約及びそれに基づく専用実施権設定登録
　　B：Ｙ社の許諾なくして実施することができます

エ　A：御社とＹ社との契約及びそれに基づく専用実施権設定登録
　　B：Ｙ社の許諾なくして実施することはできません

設問2 ● ● ●

会話の中の空欄ＣとＤに入る記述の組み合わせとして、最も適切なものはどれか。

ア　C：契約以外の手続は必要ありません　　　　D：認められない

イ　C：契約以外の手続は必要ありません　　　　D：認められる

ウ　C：契約に加えて、通常実施権の登録も必要です　　D：認められない

エ　C：契約に加えて、通常実施権の登録も必要です　　D：認められる

以下の会話は、X株式会社の代表取締役甲氏と、中小企業診断士であるあなたとの間で行われたものである。この会話を読んで、下記の設問に答えよ。

なお、空欄Aは、設問ではなく、あえて空欄としているものであり、解答する必要はない。

甲　氏：「弊社は、初めて取引をする外国のY社に製品を輸出しようと考えており、Y社から契約書案が送付されてきたのですが、以下の条項は、どのような内容でしょうか。

PAYMENT

Y shall pay the Price to X by way of ┌─A─┐ to the bank account designated by X within thirty days after the delivery of the Products to Y under this Agreement.」

あなた：「この条項は、代金の支払方法につき、┌─B─┐の方法によることとされており、一般的に┌─C─┐という問題点があります。別の方法として、売主のリスクを削減するために、信用状が用いられることがあります。」

甲　氏：「信用状を用いた取引とは、どういう流れなのでしょうか。」

あなた：「典型的な信用状取引の流れは、

①売買契約に基づき、┌─D─┐が発行銀行に信用状の発行を依頼し、発行銀行が信用状を発行する。

②発行銀行によって作成された信用状は、通知銀行に送られ、┌─E─┐に通知される。

③売主は信用状に記載された条件に従って船積みを行い、運送人から船荷証券の発行を受ける。

④売主は、為替手形を作成し、船荷証券とともに┌─F─┐に持参し、割り引いてもらう。

⑤┌─F─┐は、船荷証券と為替手形を┌─G─┐に送り、支払いを受ける。

⑥発行銀行は、買主にその代金の支払いと引き換えに船荷証券を渡す。

⑦買主は運送人に船荷証券を呈示し、船積みした製品を受け取る。

というものです。なお、発行銀行の信用力が一定程度認められ、発行銀行の所在地のカントリー・リスクも大きくないことを前提としています。」

甲　氏：「少し難しいですね。いずれにせよ、弊社としては、あまりリスクは負いたくないです。」

あなた：「Y社と契約交渉も必要かと思いますので、私の知り合いの弁護士を紹介し

145

ましょうか。」

甲　氏：「よろしくお願いします。」

　　会話の中の空欄BとCに入る語句と記述の組み合わせとして、最も適切なものはどれか。

ア　B：送金

　　C：物品の引渡しと代金の支払いの同時履行を実現することが困難である

イ　B：送金

　　C：物品の引渡しと代金の支払いの同時履行を実現することはできるが、売主にとっては、買主が支払わないというリスクを避けられない

ウ　B：荷為替手形

　　C：物品の引渡しと代金の支払いの同時履行を実現することが困難である

エ　B：荷為替手形

　　C：物品の引渡しと代金の支払いの同時履行を実現することはできるが、売主にとっては、買主が支払わないというリスクを避けられない

　　会話の中の空欄D〜Gに入る語句の組み合わせとして、最も適切なものはどれか。

ア　D：売主　　　E：買主　　　F：通知銀行　　　G：発行銀行

イ　D：売主　　　E：買主　　　F：発行銀行　　　G：通知銀行

ウ　D：買主　　　E：売主　　　F：通知銀行　　　G：発行銀行

エ　D：買主　　　E：売主　　　F：発行銀行　　　G：通知銀行

第18問

　　以下の会話は、Ｘ株式会社の代表取締役甲氏と、中小企業診断士であるあなたとの間で行われたものである。この会話を読んで、下記の設問に答えよ。

　　なお、「民法の一部を改正する法律」（平成29年法律第44号）により改正された民法が適用されるものとし、附則に定める経過措置は考慮しないものとする。

甲　氏：「弊社の製造するタオルにつき、卸売業者であるＹ社との間で売買契約を締

結しようと考えているのですが、Ｙ社の資力に不安があり、何かあったときに売掛金を回収できるようにしておきたいです。とりあえずＹ社の代表取締役の乙氏に連帯保証人となってもらうことを考えていますが、他に何か良い手段はありますか。」

あなた：「例えば、Ｙ社の第三者に対する複数の債権に対し、まとめて担保を設定する集合債権譲渡担保というものがあります。これは、担保目的で集合債権譲渡契約を締結するものです。そして、　Ａ　。」

甲　氏：「そういった制度があるのですね。Ｙ社の第三者に対する売掛金債権を対象とした場合、預金債権のように譲渡が禁止されている売掛金債権であっても、何かあったときに、当該第三者に対する請求ができるのでしょうか。」

あなた：「譲渡が禁止されている売掛金債権については、当該第三者が債務を履行しない場合において、御社が当該第三者に対し、相当の期間を定めてＹ社への履行の催告をし、その期間内に履行がないとき等は除き、　Ｂ　。」

甲　氏：「なるほど。他には何か良い手段はありますか。Ｙ社と何らかの合意をしない限り、担保は成立しないのでしょうか。」

あなた：「Ｙ社と合意をしなかったとしても、御社がＹ社にタオルを引き渡し、所有権も移転した場合において、当該タオルに先取特権という権利が成立し、当該タオルを競売することができます。」

甲　氏：「当該タオルがＹ社から小売業者に売られてしまった場合には、どうしようもないのでしょうか。」

あなた：「　Ｃ　。なお、　Ｄ　。」

甲　氏：「ありがとうございます。どうすべきか難しいですね。」

あなた：「私の知り合いの弁護士を紹介しますので、一度相談してみてはいかがでしょうか。」

甲　氏：「ぜひよろしくお願いします。」

設問1 ● ● ●

会話の中の空欄ＡとＢに入る記述の組み合わせとして、最も適切なものはどれか。

ア　Ａ：債権譲渡登記をし、債務者に登記事項証明書を交付して通知をして初めて、第三者対抗要件を具備することができます

　　Ｂ：御社が、その禁止に係る特約が締結されたことを知っていた場合には、請

求できません

イ　A：債権譲渡登記をし、債務者に登記事項証明書を交付して通知をして初めて、第三者対抗要件を具備することができます

　　B：御社が、その禁止に係る特約が締結されたことを知り、又は重大な過失によって知らなかった場合には、請求できません

ウ　A：債権譲渡登記をすることで、第三者対抗要件を具備することができます

　　B：御社が、その禁止に係る特約が締結されたことを知り、又は重大な過失によって知らなかった場合には、請求できません

エ　A：債権譲渡登記をすることで、第三者対抗要件を具備することができます

　　B：御社が、その禁止に係る特約が締結されたことを知り、又は過失によって知らなかった場合には、請求できません

設問2 ● ● ●

　会話の中の空欄ＣとＤに入る記述の組み合わせとして、最も適切なものはどれか。

ア　C：小売業者に売られた当該タオルの代金債権を差し押さえることができます

　　D：Y社への当該タオルの代金の支払いの前に、御社又は他の一般債権者による差押えがなくとも、支払いの後に、御社又は他の一般債権者による差押えがあれば可能です

イ　C：小売業者に売られた当該タオルの代金債権を差し押さえることができます

　　D：Y社への当該タオルの代金の支払いの前に、御社又は他の一般債権者による差押えが必要になります

ウ　C：小売業者に売られた当該タオルを競売することができます

　　D：Y社への当該タオルの代金の支払いの前に、御社又は他の一般債権者による差押えがなくとも、支払いの後に、御社又は他の一般債権者による差押えがあれば可能です

エ　C：小売業者に売られた当該タオルを競売することができます

　　D：Y社への当該タオルの代金の支払いの前に、御社又は他の一般債権者による差押えが必要になります

第19問

民法の定める解除に関する記述として、最も適切なものはどれか。

なお、「民法の一部を改正する法律」（平成29年法律第44号）により改正され

た民法が適用されるものとし、附則に定める経過措置及び特約は考慮しないものとする。

ア 契約の性質により、特定の日時に履行しなければ契約をした目的を達することができない場合において、債務者が履行をしないでその時期を経過したときでも、催告をしなければ、契約の解除は認められない。

イ 債権者が履行を催告した時における不履行の程度が軽微といえないのであれば、その後催告期間中に債務者が債務の一部を履行したため、催告期間が経過した時になお残る不履行が軽微である場合でも、契約の解除は認められる。

ウ 債務の不履行が債権者のみの責めに帰すべき事由によるものであるときは、債権者は、相当の期間を定めてその履行を催告したとしても、契約の解除は認められない。

エ 債務の不履行につき、債務者と債権者のいずれにも帰責事由がないときは、債務の全部の履行が不能である場合でも、債権者による契約の解除は認められない。

第20問

　以下の会話は、Ｘ株式会社の代表取締役甲氏と、中小企業診断士であるあなたとの間で行われたものである。この会話を読んで、下記の設問に答えよ。

　なお、民法については「民法の一部を改正する法律」（平成29年法律第44号）により改正された民法が、商法については「民法の一部を改正する法律の施行に伴う関係法律の整備等に関する法律」（平成29年法律第45号）により改正された商法がそれぞれ適用されるものとし、附則に定める経過措置及び特約は考慮しないものとする。

甲　氏：「弊社は、卸売業者であるＹ社から、1,000本の腕時計を仕入れたのですが、昨日納品された腕時計の中に、秒針が動かないものがありました。弊社は、秒針が動かない腕時計について、新しい腕時計をＹ社に納品し直して欲しいと思っているのですが、そのようなことは可能でしょうか。」

あなた：「はい、可能です。ただし、　Ａ　。」

甲　氏：「ありがとうございます。念のため確認しますが、大丈夫だと思います。」

（数日後）

甲　氏：「先日おっしゃっていた件、確認した上で問題ありませんでしたので、Ｙ社

に秒針が動かない腕時計について、新しい腕時計を納品し直して欲しいと申し入れたところ、Ｙ社からは、修理させて欲しいという申し出がありました。そもそもこのようなことは可能なのでしょうか。」

あなた：「はい、可能です。ただし、 B 。」

甲　氏：「なるほど、よく分かりました。」

（10か月後）

甲　氏：「10か月ほど前に相談させていただいた卸売業者であるＹ社から納品された腕時計の件で、先週、10か月前に納品された腕時計の一部に別の不良が見つかりました。店頭で販売した腕時計について、購入者の方から、全く動かなくなるというクレームがありまして、Ｙ社に対して、何らかの請求はできませんでしょうか。」

あなた：「 C ですので、商法第526条が直接適用されて、買主である御社に目的物の検査及び通知義務が課されます。そのため、腕時計が動かなくなるという不良が直ちに発見できないものだったとした場合、 D 。いずれにせよ、今後は契約書を専門家に見てもらった方がいいと思いますので、よろしければ私の知り合いの弁護士を紹介しますよ。」

甲　氏：「ありがとうございます。よろしくお願いします。」

【設問1】 ● ● ●

会話の中の空欄ＡとＢに入る記述の組み合わせとして、最も適切なものはどれか。

ア　Ａ：秒針が動かないことが買主である御社の責めに帰すべき事由によるものである場合は、できません

　　Ｂ：修理という方法が買主である御社に不相当な負担を課するものである場合は、できません

イ　Ａ：秒針が動かないことが買主である御社の責めに帰すべき事由によるものである場合は、できません

　　Ｂ：秒針が動かないことが売主であるＹ社の責めに帰すべき事由によるものである場合は、できません

ウ　Ａ：秒針が動かないことが買主である御社の故意又は重過失によるものである場合は、できません。しかし、御社の軽過失によるものである場合は、で

150

きます

B：修理という方法が買主である御社に不相当な負担を課するものである場合
は、できません

エ　A：秒針が動かないことが買主である御社の故意又は重過失によるものである
場合は、できません。しかし、御社の軽過失によるものである場合は、で
きます

B：秒針が動かないことが売主であるＹ社の責めに帰すべき事由によるもので
ある場合は、できません

設問2 ● ● ●
　会話の中の空欄ＣとＤに入る記述の組み合わせとして、最も適切なものは
どれか。

ア　Ｃ：商人間の売買
　　Ｄ：まだ１年経過していないので、Ｙ社に対する請求は可能です
イ　Ｃ：商人間の売買
　　Ｄ：もう６か月経過しているので、Ｙ社がその不良につき悪意でない限り、Ｙ
　　　　社に対する請求は困難です
ウ　Ｃ：少なくとも当事者の一方のために商行為となる行為
　　Ｄ：まだ１年経過していないので、Ｙ社に対する請求は可能です
エ　Ｃ：少なくとも当事者の一方のために商行為となる行為
　　Ｄ：もう６か月経過しているので、Ｙ社がその不良につき悪意でない限り、Ｙ
　　　　社に対する請求は困難です

令和 **3** 年度
解答・解説

nswers

問題		解答	配点	正答率※
第1問		ウ	4	D
第2問		イ	4	B
第3問		エ	4	C
第4問		エ	4	C
第5問		ア	4	C
第6問		ア	4	C
第7問	(設問1)	イ	4	D
	(設問2)	ア	4	C
第8問		ア	4	B

問題		解答	配点	正答率※
第9問		イ	4	A
第10問		ウ	4	B
第11問		エ	4	C
第12問		ウ	4	D
第13問		ウ	4	A
第14問		ア	4	C
第15問		エ	4	A
第16問	(設問1)	エ	4	B
	(設問2)	ア	4	C

問題		解答	配点	正答率※
第17問	(設問1)	ア	4	D
	(設問2)	ウ	4	B
第18問	(設問1)	ウ	4	D
	(設問2)	イ	4	B
第19問		ウ	4	C
第20問	(設問1)	ア	4	B
	(設問2)	イ	4	D

※TACデータリサーチによる正答率
　正答率の高かったものから順に、A〜Eの5段階で表示。
A：正答率80％以上　　　　B：正答率60％以上80％未満　　　C：正答率40％以上60％未満
D：正答率20％以上40％未満　　　E：正答率20％未満

※解答・配点は一般社団法人日本中小企業診断士協会連合会の発表に基づくものです。

令和 **3** 年度 解説

社債の知識を問う問題である。

ア ✕：社債は、会社の公衆に対する起債であり、当該社債発行会社を債務者とする金銭債権であって（会社法第2条23号）、その法的性質は金銭消費貸借である。したがって、会社は、業務執行の一環として、原則として自由に社債を発行できるはずであるが、募集事項の決定は、取締役会設置会社では取締役会決議によらなければならない（会社法第362条4項5号）。このことは、公開会社であっても株式譲渡制限会社であっても変わりはなく、株式譲渡制限会社においては、募集事項の決定は株主総会の決議によらなければならないということはない。

イ ✕：社債の発行について、①募集社債の総額、②社債を引き受ける者の募集に関する重要な事項として法務省令（会社法施行規則第99条）で定める事項は、取締役会決議によらなければならない専決事項である（会社法第362条4項5号）。しかし、法務省令で定める重要事項以外の事項については、代表取締役に委任することができる。このことは、公開会社であっても株式譲渡制限会社であっても変わりはない。

ウ ◯：正しい。社債権者集会とは、社債権者の利害に重大な関係がある事項について、社債権者の意思決定をするために構成される組織をいう。同じ種類の社債権者は、利害を共通にするため、社債権者集会は社債の種類（注：社債の利率、社債の償還の方法・期限等の違いによって種類分けされる）ごとに組織することとされている（会社法第715条）。

エ ✕：社債を発行する場合、社債発行会社は、原則として社債管理者を置いて、社債権者のために弁済の受領、債権の管理その他の社債の管理を行うことを委託しなければならない（会社法第702条本文）。ただし、各社債の金額が1億円以上である場合その他社債権者の保護に欠けるおそれがないものとして法務省令で定める場合（社債の総額を各社債の金額の最低額で除して得た数が50（口）を下回る場合（50口未満の場合））には、社債管理者を置かなくてもよい（同条ただし書、同法施行規則第169条）。本肢は、社債の総額が1億円以上である場合には、社債管理者を設置しなければならないと述べているが、社債の総額は、必ずしも社債管理者の設置義務の有無を決定する要素ではない。総額が1億円以上であっても、各社債の金額が1億円以上である場合など、社債管理者の設置義務を負わない場合もあるので、発行する社債の総額が1億円以上である場合には、必ず設置義務があると述べている点は不適切である。

よって、**ウ**が正解である。

第2問

民法が定める消費貸借の改正点（令和2年4月1日施行）を含め、詳細な知識を問う難問である。

ア ✕：消費貸借契約は、改正前民法の要物契約の性質を残しつつ（民法第587条）、書面でする消費貸借契約の場合には、諾成契約とされた（諾成的消費貸借契約。民法第587条の2第1項）。そして、消費貸借がその内容を記録した電磁的記録によってされたときは、その消費貸借は、書面によってされたものとみなされる（同条4項）。したがって、金銭消費貸借がその内容を記録した電磁的記録によってされたときは、諾成的消費貸借契約としての効力を有する。

イ 〇：正しい。書面でする消費貸借は、借主が貸主から金銭その他の物を受け取る前に当事者の一方が破産手続開始の決定を受けたときは、その効力を失う（民法第587条の2第3項）。諾成的消費貸借契約は、合意によって効力が発生するが、その後、当事者に破産手続開始決定がされた場合、①借主が破産手続開始決定を受けたときは、弁済資力がない借主に対して貸す義務を貸主に課すのは、回収不能が自明であることから不公平であり、②貸主が破産手続開始決定を受けたときには、借主が破産債権者として破産手続に参加するとすれば手続が煩雑になるからである。

ウ ✕：書面による場合の諾成的消費貸借契約では、借主は、貸主から金銭その他の物を受け取るまで、契約の解除をすることができる（民法第587条の2第2項）。借主は、諾成的消費貸借契約によって貸主に対する金銭引渡請求権を有することとなるが、金銭等の受領義務（借りる義務）は発生しないので、金銭等の授受前は自由に契約を解除できるとされる。

エ ✕：金銭消費貸借契約において、借主は、返還の時期の定めの有無にかかわらず、いつでも返還をすることができる（民法第591条2項）。なお、返還の時期を定めた場合、貸主は、借主が返還の時期の前に返還をしたことによって損害を受けたときは、借主に対し、その賠償を請求することができる（同条3項）。

よって、**イ**が正解である。

第3問

簡易合併手続の知識を問う問題である。

ア ✕：株式買取請求権は、合併など組織再編行為によって会社組織の基礎に重大な変更がなされる場合に、反対株主に対して投下資本の回収を認める制度である。一方、簡易合併等の簡易手続の適用がある場合には、会社組織への影響が軽微である

ことから、株主総会の省略が認められるので、そもそも株式買取請求権を認める前提事情を欠く。そこで、簡易合併手続においては、存続会社における反対株主に株式買取請求権は認められない（会社法第797条1項ただし書）。一方、簡易合併に該当する場合であっても、債権者保護手続は省略することができない（会社法第799条1項1号）。

イ ✕：合併手続は、次の流れで行う。①合併契約の締結、②合併契約に関する書面の備置き、③株主総会の特別決議による承認（簡易合併の場合には省略できる。）、④株式・新株予約権の買取請求（簡易合併の場合には認められないのは選択肢**ア**のとおり）、⑤会社債権者保護（異議）手続、⑥契約で定めた日に合併の効力発生、⑦合併事項書面等の備置き、⑧合併登記。この手続のうち、簡易合併の場合には③および④は省略できるが、⑤の債権者保護手続は省略できず、会社債権者の異議申出期間は、1か月を下回ることができない（会社法第799条2項4号）。合併の効力発生には、債権者保護手続が完了していることが要件とされており、手続が終了していない場合には、合併の効力は、債権者保護手続が終了するまでは発生しない（会社法第750条6項）。すると、①の合併契約の締結から⑥の合併契約の効力発生までは、必ず1か月を超える期間が必要となる。20日間では実施することはできない。

ウ ✕：簡易合併手続は、存続会社において、合併対価の簿価が存続会社の純資産額の5分の1以下（原則）の場合には、存続会社にとってインパクトが小さいために株主総会の開催を不要とする制度である（会社法第796条2項）。これに対して、消滅会社では、自社の法人格の消滅という重大な事項が関係するわけであるから、簡易手続は規定されておらず、株主総会の特別決議による承認が必要となる。

エ 〇：正しい。消滅会社の株主に交付する対価の全部または一部が存続会社の譲渡制限株式である場合であって、存続会社が株式譲渡制限会社であるときは、簡易合併の手続によることはできず、存続会社において株主総会特別決議は省略できない（会社法第796条2項ただし書）。これは、合併に伴って存続会社の譲渡制限株式が消滅会社の株主に交付されると、新たな株主が増加する結果となり、株式譲渡制限会社である存続会社の既存株主の利益を害するおそれがあるので、募集株式の発行手続の場合と同様に、株主総会による特別決議が要求されるためである。

よって、**エ**が正解である。

第4問

破産手続および民事再生手続について、横断的に問う問題である。

ア ✕：破産法には否認権が規定されており、否認権とは、破産者が破産手続開始前に、破産債権者全体に損害を与える詐害行為をした場合または一部債権者に対する

偏頗弁済行為をした場合に、破産者が逸失させた財産について、その効力を失わせ、破産財団に回復させる権利である（破産法第160条以下）。否認権は、民事再生法、会社更生法においても、破産法とほぼ同様の規定がある（民事再生法第127条以下、会社更生法第86条以下）。したがって、民事再生手続においては、否認権が一切認められていない、とする本肢記述の後段は誤りである。

イ ✕：破産法には別除権が規定されており、別除権とは、担保権者（抵当権、質権、特別の先取特権、商事留置権等の権利者）が、目的財産から、破産手続によらずに破産債権者に優先して個別的な債権回収をはかることができる権利である（破産法第2条9号、65条、66条）。民事再生法においても、破産法と同様に、上記の担保権に基づき別除権が認められる（民事再生法第53条）。したがって、民事再生手続においても担保権者は再生手続外で、担保権を行使することができる。

ウ ✕：破産手続においては、法人・自然人を問わず、破産者の破産手続開始時における全ての財産が破産財団となり、これを金銭に換価して配当に充てることになるのが原則である（破産法第34条1項）。しかし、破産法では、例外的に、自由財産という破産財団に属しない財産が認められる。自由財産とは、破産者の財産で破産財団に属しない①99万円以下の現金（破産法第34条3項1号）、②差押禁止財産（同条同項2号）や、③破産手続開始決定後に得た新得財産（同条1項の反対解釈）などが含まれる。そこで、自由財産の例外に言及せず、すべての財産が破産財団とする本肢前段の記述は誤りである。民事再生手続においては、民事再生計画に基づく弁済がなされれば、必ずしも債務者の財産を換価する必要はないので、本肢後段の記述は正しい。

エ 〇：正しい。破産手続は、原則として債権者または債務者による破産手続開始の申立てによって、裁判所が手続の開始をするか否かを決定する（破産法第19条、30条）。ただし、例外として、裁判所は、特別清算手続を開始した後、清算株式会社に破産手続開始の原因となる事実があると認めるときは、職権で、破産法に従い、破産手続開始の決定をしなければならない（会社法第574条1項）。また、職権で破産手続開始の決定をすることができる（同条2項）。これは、裁判所の監督下に遂行される特別清算手続中に破産原因が存在することが明らかになったときは、裁判所の職権で破産手続を開始する場合を定めたものである。したがって、破産手続は、申立てによる他、裁判所の職権によって開始する場合もある。

よって、**エ**が正解である。

「不当景品類及び不当表示防止法」（以下「景品表示法」とする。）に定める懸賞に

ついて知識を問う問題である。

内閣総理大臣は、不当な顧客の誘引を防止し、一般消費者による自主的かつ合理的な選択を確保するため必要があると認めるときは、景品類の価額の最高額もしくは総額、種類もしくは提供の方法その他景品類の提供に関する事項を制限し、または景品類の提供を禁止することができる（景品表示法第4条）。この制限は、内閣総理大臣告示によって次のとおり定められている。

	景品類の限度額	
	最高額	（景品類の）総額
共同懸賞	取引価額にかかわらず「30」（＝空欄A）万円	懸賞に係る売上予定総額の3％
一般懸賞	取引価額が5,000円未満の場合⇒取引価額の20倍	懸賞に係る売上予定総額の「2」（＝空欄B）％
	取引価額が5,000円以上の場合⇒10万円	

以上から、空欄Aには「30」が入る。また、空欄Bには「2」が入る。

よって、**ア**が正解である。

第6問

取締役会と監査役会の異同について問う問題である。

ア ○：正しい。取締役や監査役などの役員は、会社と委任関係に立ち（会社法第330条）、会社に対して善管注意義務を負う（民法第644条）。たとえば、会社に対して取締役が任務懈怠による損害賠償責任を負う事態が発生した場合、任務懈怠行為をした取締役が責任を負うことはもちろんとして、それ以外にも、その原因が取締役会決議に基づいてなされた場合には、決議に賛成した取締役にも責任を問うことが妥当である。そこで、取締役会の決議に参加した取締役であって、当該決議に係る議事録に異議をとどめないものは、その決議に賛成したものと推定される（会社法第369条5項）。そして、会社に対する損害賠償責任について、当該決議に賛成した取締役は、任務懈怠があったものと推定される（会社法第423条3項3号）。同様に、監査役についても、監査役会に参加した監査役であって、当該決議に異議をとどめないものは、その決議に賛成したものと推定される（会社法第393条4項）。

イ ✕：取締役会の監督機能の実効性を図るため、代表取締役および業務執行取締役は、3か月に1回以上、職務執行の状況を取締役会に報告しなければならない（会社法第363条2項）。この職務執行状況の報告は省略することができない（会社法第372条2項）。したがって、取締役会は少なくとも3か月に1回は開催しなければならない。これに対し、監査役は、監査役会の求めがあるときは、いつでもその職務

の執行状況を監査役会に報告しなければならないが（会社法第390条4項）、取締役会のような3か月に1回以上という特別な規定はなく、取締役会が開催される月には開催しなければならないという規定も置かれていない。

ウ ✕：取締役会の招集手続は、取締役および監査役の全員が同意すれば、省略することができる（会社法第368条2項）。取締役会の場合には、監査役が同意していない場合には、招集手続を省略することはできない。これに対して、監査役会の招集手続は、監査役の全員が同意すれば、省略することができる（会社法第392条2項）。

エ ✕：本件における会社は、監査役会設置会社であることから、指名委員会等設置会社および監査等委員会設置会社ではない。また、令和3年3月1日施行の改正会社法により、監査役会設置会社（公開会社かつ大会社に限る）である有価証券報告書提出会社は、社外取締役の設置が義務づけられた（会社法第327条の2）が、本件における会社は、公開会社ではなく、かつ大会社ではないため、社外取締役設置義務は課されない。すると、取締役会を構成する取締役のうち、社外取締役を置く義務はない。これに対して、監査役会設置会社では、監査役会を構成する監査役のうち半数以上は社外監査役でなければならない（会社法第335条3項）。

よって、**ア**が正解である。

第7問

（設問1）は、事業承継に関して、民法の遺留分や「中小企業における経営の承継の円滑化に関する法律」（以下「経営承継円滑化法」とする。）に基づく遺留分特例の知識を、（設問2）は、会社法の議決権制限株式と相続人等に対する売渡請求の知識を、幅広く問う問題である。

設問1 ●●●

ア ✕：遺留分侵害額請求権は、遺留分権利者が、相続の開始および遺留分を侵害する贈与または遺贈があったことを知った時から、1年間行使しないときは、時効によって消滅する。相続開始の時から10年を経過したときも、同様とする（民法第1048条）。遺留分侵害額請求権の短期消滅時効期間は、3か月ではなく、1年である。

イ 〇：正しい。被相続人からの圧力によって不当な遺留分放棄が強制されないよう、相続の開始前における遺留分の放棄は、家庭裁判所の許可を受けたときに限り、その効力を生じる（民法第1049条1項）こととされている。

ウ ✕：経営承継円滑化法に基づく遺留分特例である除外合意、固定合意は、遺留分を有する推定相続人（遺留分権利者）と会社事業後継者、これら全員の合意が

必要である（同法第4条、5条）。推定相続人の過半数が合意の当事者では足りない。

エ ✕：遺留分は、直系尊属以外の者が相続人である場合には、遺留分算定の基礎となる相続財産の2分の1が遺留分全体の額となり、各相続人には本来の法定相続分の割合を乗じた割合となる（民法第1042条）。本件では、配偶者αの遺留分の額は、遺留分を算定するための財産の価額（相続財産の額）の本来の配偶者としての割合2分の1に、さらに遺留分割合2分の1を乗じた4分の1である。また、子γの遺留分の額は、子としての相続分2分の1×2分の1（子はβと二人なので按分）×遺留分割合2分の1を乗じた8分の1となる。

よって、**イ**が正解である。

設問2 ● ● ●

議決権制限株式は、株主総会の全部または一部の事項について議決権を行使することができない株式をいい（会社法第108条1項3号）、本問のように事業承継を円滑に行うための手段としても発行されることがある。

公開会社の場合には、議決権制限株式の発行割合が高くなると、会社経営の適正が損なわれるおそれがあることから、議決権制限株式の総数は、発行済株式総数の2分の1を超えてはならず、超えたときは、直ちに議決権制限株式の数を発行済株式総数の2分の1以下にするための必要な措置をとらなければならない（会社法第115条）。しかし、本問のX社は公開会社ではないため、議決権制限株式の発行限度の定めはないことになる（この点がわかれば、本問はピンポイントで**ア**が正解と判断できる）。

次に、乙が保有する株式が相続によって丙に承継される場合には、相続人丙に対する株式の売渡請求を行うことが考えられる。相続人に対する売渡請求は、株式会社が、相続その他の一般承継により、株式を取得した相続人に対して、定款に定めることによってその売渡しを請求できる制度である（会社法第174条）。この売渡請求は、当該株式会社が、相続その他の一般承継があったことを知った時から1年を経過したときは、行うことができない（会社法第176条1項ただし書）。以上から、これらを正しく述べたAとBの組合せは、**ア**となる。

よって、**ア**が正解である。

第8問

不正競争防止法の商品等表示や、営業秘密の知識を問う問題である。

ア ○：正しい。不正競争防止法における商品等表示とは、「人の業務に係る氏名、

商号、商標、標章、商品の容器もしくは包装その他の商品または営業を表示するもの」をいう（不正競争防止法第2条1項1号括弧書）。同号に定める周知表示混同惹起行為は、他人の商品等表示として需要者の間に広く認識されているものと同一もしくは類似の商品等表示を使用し、またはその商品等表示を使用した商品を譲渡し、引き渡し、譲渡もしくは引渡しのために展示し、輸出し、輸入し、もしくは電気通信回線を通じて提供して、他人の商品または営業と混同を生じさせる行為をいい、商品の容器も「商品等表示」として対象に含まれる。

イ ✕：不正競争防止法第2条1項2号に規定する著名表示冒用行為とは、自己の商品等表示として他人の著名な商品等表示と同一もしくは類似のものを使用し、またはその商品等表示を使用した商品を譲渡し、引き渡し、譲渡もしくは引渡しのために展示し、輸出し、輸入し、もしくは電気通信回線を通じて提供する行為をいう。著名表示は、強力なブランド表示力、顧客吸引力および信用を化体した良質イメージを有する。そこで、著名表示を第三者が自己の商品等表示として使用した場合、①フリーライド（ただ乗り）、②ダイリューション（希釈化）、③ポリューション（汚染）のいずれかが発生すると考えてよい。そこで、混同を生じさせることを要件とすることなく、著名表示冒用は不正競争行為とされる。

ウ ✕：不正競争防止法第2条1項4号乃至10号で保護される営業秘密とは、秘密として管理されている生産方法、販売方法その他の事業活動に有用な技術上または営業上の情報であって、公然と知られていないものをいう（不正競争防止法第2条6項）。そこで、営業秘密となるためには、①秘密管理性、②有用性、③非公知性の3要件が必要とされる。進歩性は、営業秘密とされる要件ではない。

エ ✕：営業秘密として保護される情報は、選択肢**ウ**のとおり、秘密として管理されている生産方法、販売方法その他の事業活動に有用な技術上または営業上の情報であり、技術上の情報も含まれる。

よって、**ア**が正解である。

第9問

意匠登録制度について問う問題である。平易な内容であり、ぜひ正解したい問題である。

ア ✕：意匠法における「意匠」とは、物品（物品の部分を含む。）の形状、模様もしくは色彩またはこれらの結合等であって、（中略）視覚を通じて美感を起こさせるものをいう（意匠法第2条1項）。本肢の「アイスクリーム」のように、時間の経過により変質してその形状が変化するものであっても、有体物である動産であって、取引の際に定型性を有しているものは、意匠法上の物品に該当する。実際に、

意匠法施行規則における物品の区分においても、「アイスクリーム」は「製造食品および嗜好品」（一類）に明記されている。したがって、アイスクリームの形状は、意匠登録されうる。

イ ○：正しい。意匠権の設定登録後は、意匠公報において登録意匠は社会一般に周知されるのが原則である（意匠法第20条3項）。しかし、公開後の侵害から防衛する目的で、意匠登録出願人は、意匠権の設定の登録の日から3年以内の期間を指定して、その期間その意匠を秘密にすることを請求できる（秘密意匠制度。意匠法第14条1項）。この場合、意匠登録出願人が指定した期間が経過した後、秘密にされていた意匠は、遅滞なく意匠公報に掲載されることとなる（意匠法第20条4項）。

ウ ×：意匠登録の対象となるのは「物品」である（意匠法第2条1項）。物品とは、生産され独立して取引の対象となる運搬可能な有体物をいう。乗用自動車は、物品性を備えており、その形状は意匠登録されうる。

エ ×：同時に使用される二以上の物品、建築物または画像であって経済産業省令で定めるもの（これを「組物」という。）を構成する物品、建築物または画像に係る意匠は、組物全体として統一があるときは、一意匠として出願をし、意匠登録を受けることができる（組物意匠制度。意匠法第8条）。組物意匠制度は、二以上の物品に関する意匠であるにもかかわらず、一つの出願で意匠権を取得できる制度である。本肢に例示されるような飲食用ナイフ、フォーク、スプーンのセットに同一の模様を施したものは、この組物意匠として、これらを一意匠として出願し、登録することができる。

よって、**イ**が正解である。

第10問

特許法の規定について問う問題である。

ア ×：二以上の発明については、経済産業省令で定める技術的関係を有することにより発明の単一性の要件を満たす一群の発明に該当するときは、一つの願書で特許出願をすることができる（特許法第37条）。発明の単一性とは、一つの願書で出願して特許権を取得しうる発明の範囲をいい、「二以上の発明が同一のまたは対応する特別な技術的特徴を有していることにより、これらの発明が単一の一般的発明概念を形成するように連関している技術的関係」（特許法施行規則第25条の8第1項）がある場合に、発明の単一性が認められるとされる。発明の単一性の範囲に含まれる二以上の発明は、一つの願書で特許出願できるわけであるから、本肢のように「いかなる場合も1つの願書で特許出願することはできない。」との記述は不適切である。たとえば、「テレビ」という物の発明と、そのテレビの製造方法の発明（物を

生産する方法の発明に該当）は、単一性が認められるため、一つの願書でまとめて
出願できる。

イ ✗：特許出願をする場合、出願人は特許庁長官へ願書を提出しなければならない
が、願書には、明細書、特許請求の範囲、必要な図面および要約書を添付しなけれ
ばならない（特許法第36条1項、2項）。願書、明細書、特許請求の範囲および要
約書は、必ず提出すべき書面であるが、図面は、明細書の内容を補充するために必
要な場合に提出が求められる任意の書面である。したがって、これらをすべて添付
しなければならないとする本肢の記述は不適切である。

ウ ◯：正しい。「特許請求の範囲」は、特許権の権利書に当たる重要な書面である。
特許請求の範囲には、請求項に区分して、各請求項ごとに特許出願人が特許を受け
ようとする発明を特定するために必要と認める事項のすべてを記載しなければなら
ない（特許法第36条5項）。また、特許請求の範囲の記載は、①特許を受けようと
する発明が発明の詳細な説明に記載したものであること。②特許を受けようとする
発明が明確であること。③請求項ごとの記載が簡潔であること。④その他経済産業
省令で定めるところにより記載されていること。以上の要件を満たすものでなけれ
ばならない（特許法第36条6項1〜4号）。本肢は、①の要件を述べており、適切
である。

エ ✗：選択肢**ウ**のとおり、特許請求の範囲には、請求項に区分して、各請求項ごと
に特許出願人が特許を受けようとする発明を特定するために必要と認める事項のす
べてを記載しなければならない（特許法第36条5項）。
よって、**ウ**が正解である。

第11問

特許権等の侵害や発明の実施について問う問題である。

ア ✗：特許権の侵害が、故意または過失によってなされた場合には、加害者は、不
法行為（民法第709条）によって損害賠償責任を負う。この場合、民法の原則に則
れば、加害者の故意または過失の立証責任は、被害者が負う。しかし、特許法は、
特許権の内容は特許公報により周知されていること等から、特許権侵害に対する実
質的な救済を図るため、過失の推定規定を置く。「他人の特許権または専用実施権
を侵害した者は、その侵害の行為について過失があったものと推定する。」（特許法
第103条）。このように、特許権および専用実施権の侵害があったときは、その侵害
行為については特許法上、過失が推定され、権利者（被害者）の立証の困難を救済
している。したがって、専用実施権の侵害の場合にも、侵害行為について過失が推
定される。

イ ✕：「物を生産する機械の発明」の場合は、「物の発明」に当たる。その実施の範囲は、「物の発明にあっては、その物の生産、使用、譲渡等、輸出若しくは輸入又は譲渡等の申出（譲渡等のための展示を含む。）をする行為」をいう（特許法第2条3項1号）。したがって、たとえば、その機械を無権原で生産することは特許権侵害となる実施行為に該当するが、その機械により生産した物を輸入する行為は、特許権侵害となる実施行為には該当しない。

ウ ✕：「物を生産する方法の発明」の場合は、その実施の範囲は、「その方法の使用をする行為」および「その方法により生産した物の使用、譲渡等、輸出もしくは輸入または譲渡等の申出をする行為」が含まれる（特許法第2条3項2号、3号）。したがって、その方法により生産した物を輸出する行為は、「物を生産する方法の発明」の実施行為に該当する。

エ 〇：正しい。物を生産する方法の発明について特許がされている場合において、その物が特許出願前に日本国内において公然知られた物でないときは、その物と同一の物は、その方法により生産したものと推定する（特許法第104条）。この規定は、物を生産する方法の発明の権利者（被害者）にとっては、侵害品はその方法によって生産されたものと推定することにより、侵害事実の立証負担を救済するものである。

よって、**エ**が正解である。

第12問

地域団体商標の知識を問う問題である。

地域団体商標登録制度は、地域名と商品名からなる商標（地名入り商標）について、早期の団体商標登録を受けることができる制度である（商標法第7条の2）。地域名は、本来は自他商品役務識別力を欠くので、商標登録は認められないはずである。しかし、地域経済振興の目的で、本来識別力のない地域名称と商品・役務の名称の組合せからなる商標であって、周知性を備えたものについて、事業協同組合等に商標登録を認め、登録を受けた団体の構成員に、商標の使用権を認めるものである。たとえば、「京友禅」「長崎カステラ」「小田原かまぼこ」「和歌山ラーメン」「有田みかん」など、今日では広く利用されている。

地域団体商標制度により登録を受けられる商標は、次の3類型である。①地域名称＋商品または役務の普通名称（たとえば、「大間まぐろ」）、②地域名称＋商品または役務を表示するものとして慣用されている名称（たとえば、「有馬温泉」。この場合の「温泉」は、入浴施設等の提供役務を表示する名称として慣用されている名称とされる。）、③これらに加えて、商品の産地または役務の提供の場所を表示する際に付される文字

として慣用されている文字のみからなる商標（商標法第7条の2第1項1号～3号）。

③の「商品の産地または役務の提供の場所を表示する際に付される文字として慣用されている文字」とは、たとえば、産地に付される文字として「特産」「名産」「名物」、提供の場所に付される文字として、「本場」などが認められる。これに対して「特選」「元祖」「本家」「特級」「高級」などの文字は、商品の産地や役務の提供の場所を表示する際に付される文字とは認められないとされる。

本間では、A市の経済団体が地域団体商標登録を受けようとするA漁港で水揚げまたは漁獲されるマグロは、A市を産地とする商品と認められる。したがって、「Aマグロ」という地域団体商標を受けることは、周知性など他の要件も満たせば、上記①に該当するため可能である。さらに、「A名産マグロ」という文字からなる地域団体商標を受けることは、③に該当するため可能である。以上から、空欄①には「はい、制度的には登録可能です」が入る。

一方、地域団体商標は、いずれの場合であっても商品または役務の名称を用いずに、地域名称だけからなる文字を登録することは認められていない。そこで、空欄②には「いいえ、地域の名称のみからなる商標は、地域団体商標として登録を受けることができません」が入る。

よって、**ウ**が正解である。

第13問

商標法における先使用権について問う問題である。平易な内容であり、ぜひ正解したい問題である。

「他人の商標登録出願前から日本国内において不正競争の目的でなくその商標登録出願に係る指定商品もしくは指定役務またはこれらに類似する商品もしくは役務についてその商標またはこれに類似する商標の使用をしていた結果、その商標登録出願の際、現にその商標が自己の業務に係る商品または役務を表示するものとして需要者の間に広く認識されているときは、その者は、継続してその商品または役務についてその商標の使用をする場合は、その商品または役務についてその商標の使用をする権利を有する。」（商標法第32条1項）。先使用権は、商標権者と、先使用をしていた者との公平を図ることを目的とし、①他人の出願前からの日本国内での先使用、②不正競争の目的でないこと、③先使用商標の周知性獲得、これらを要件として認められる無償の法定通常使用権である。本間は、②は問題文中に示されているので、①と③の要件を問うている。

ア ✕：本肢は、「乙社の商標登録出願後であってもその商標が登録される前から」とあるが、先使用権は他人の「出願前」からの使用が要件であるため、①の要件を

欠き、不適切である。

イ ✕：本肢は、「乙社の商標登録出願後であってもその商標が登録される前から」
との記述が不適切であるのは選択肢**ア**と同じであり、「需要者の間に広く認識され
ていないときでも」と周知性を不要としていることから、①・③要件ともに欠き、
不適切となる。

ウ ◯：正しい。本肢は、先使用権の要件を述べた空欄に入る記述として適切である。

エ ✕：本肢は、出願前からの先使用が要件となる点は①要件を満たすものとして適
切な記述であるが、「需要者の間に広く認識されていないときでも」と周知性を不
要としている点は、③の要件について不適切な記述となる。

よって、**ウ**が正解である。

第14問

特許協力条約（PCT）に基づく国際出願制度の知識を問う問題である。

外国で特許を取得するためには、対象となる外国の特許庁に対して直接出願を行う
方法がある（直接出願）。しかし、直接出願は特許を受けたい各国それぞれに出願し
なければならず、手続として煩雑であり、先願の優先的地位も各国における出願日が
基準とされてしまう不利益がある。

これに対して、特許協力条約（PCT）に従い、1通の出願書類を自国の特許庁に
提出することにより、PCT加盟国であるすべての国に同時に出願したことと同じ効
果を得ることができる。これを、PCT国際出願という。そのメリットとして、次の
3つがある。①一つの願書で、自国の特許庁が認める言語で提出するだけで、同日に
各々の国に国内出願したことと同様の効果が得られるため、出願手続が簡素かつ容易
になる。②すべてのPCT国際出願は、その発明に関する先行技術があるか否かを国
際調査機関が審査する「国際調査」の対象となるため、出願人は国際調査の結果を「国
際調査報告」として入手でき、さらに「国際予備審査」を受けることもできるので、
自らの発明の特許性について、提供された材料をもとに、自信をもって手続を進める
ことができる。③最終的に特許権を得たい相手国（指定国）での国内移行手続を行う
までに、権利取得する指定国の決定や翻訳文の作成に、原則として30か月の猶予期間
が得られる。

このようなメリットが認められるPCT出願であるが、PCT出願を行うだけでは、
外国で特許権を取得することはできない。実際に特許権を取得したい指定国において、
個別に国内移行手続を行う必要がある。PCT出願は、あくまで国際的な出願手続で
あり、最終的に指定国で特許権を取得できるかどうかは、主権を有する指定国特許庁
の実体審査に委ねられる。国内移行手続には、指定国特許庁に対し、出願内容を指定

国が認める言語に翻訳した翻訳文の提出が必要となる。

以上から、空欄Aには、「所定の翻訳文を提出する等の「国内移行手続」を行う必要がある」が、空欄Bには、「それぞれの特許法に基づいて特許権を付与するか否かを判断する」が入る。

よって、**ア**が正解である。

産業財産権法について、横断的に知識を問う問題である。平易な内容であり、ぜひ正解したい問題である。

ア ✕：出願公開制度は、出願から一定期間経過後、設定登録を待たずに出願内容を公開する制度である。産業財産権法の中では、特許法（特許法第64条〜65条）、商標法（商標法第12条の2）に規定されている。特許法においては、出願日から1年6月経過すると、特許出願を特許公報に掲載することにより出願内容が公開される。商標法においては、出願があったときに商標公報に掲載することにより出願公開がなされる。これに対して、意匠法と実用新案法においては、出願公開制度は規定されていない。

イ ✕：出願審査請求制度は、特許法においてのみ規定されている。特許出願後3年以内に審査請求があった場合にのみ出願内容について実体審査を行うという制度である（特許法第48条の3）。これに対して、実用新案法では無審査主義が採用されており、出願審査請求制度は規定されていない。

ウ ✕：国内優先権制度とは、特許権における発明、実用新案法における考案について出願した後、その改良である発明や考案がなされた場合に、すでに出願した内容に改良した内容を取り込んで、すでに先にした出願日が優先日と認められた上で、一括して特許権や実用新案権が認められるという制度である（特許法第41条）。知的財産権に関するパリ条約に基づく国際出願における優先権と区別するために「国内優先権」と呼ばれる。国内優先権制度の対象となる権利は、特許権と実用新案権であり、意匠権および商標権には国内優先権制度は存在しない。

エ 〇：正しい。新規性喪失の例外規定は、新規性を登録要件とする特許法、実用新案法、意匠法において規定されている（特許法第30条、実用新案法第11条1項、意匠法第4条）。これに対して、商標法は登録要件として、そもそも新規性は求められていないため、新規性喪失の例外規定も置かれていない。

よって、**エ**が正解である。

特許権のライセンス（専用実施権と通常実施権）の知識を問う問題である。

設問1 ● ● ●

　特許権のライセンス契約としては、特許法による実施権許諾の別として、専用実施権と通常実施権がある。専用実施権は、設定行為で定めた範囲内において、業としてその特許発明の実施をする権利を専有する（特許法第77条2項）ことができる独占的権利である。そこで、専用実施権の効力発生には、特許権者と専用実施権者との実施権設定契約に加え、専用実施権を特許原簿に設定登録することが必要とされている（特許法第98条1項2号）。専用実施権を設定した場合、専用実施権者に対して独占的権利を認めたわけであるから、特許権者自身もその範囲内では特許発明を実施することができない。以上から、空欄Aには「御社とY社との契約及びそれに基づく専用実施権設定登録」が入り、空欄Bには「Y社の許諾なくして実施することはできません」が入る。

　よって、**エ**が正解である。

設問2 ● ● ●

　特許権者は、その特許権について他人に通常実施権を許諾することができ、この場合、通常実施権者は、特許法の規定により、または設定行為で定めた範囲内において、業としてその特許発明の実施をする権利を有する（特許法第78条）。通常実施権は、専用実施権と異なり、独占的実施を本来の内容とするものではないが、当事者間の許諾契約によって通常実施権者に実施権が認められるものであり、契約自由の原則（民法第522条）の下、特許権者が、本問のようにいわゆる「独占的通常実施権」を内容とする契約を締結することは自由である。この場合、独占的通常実施権は、あくまで当事者間の契約により独占的内容が付されているだけであり、専用実施権と異なり、特許原簿への設定登録は効力発生に必要とされない。また、第三者の侵害行為に対する差止請求は、排他独占的権利を有する特許権者および専用実施権者のみに認められ（特許法第100条）、独占以外の特約がない場合、特許権者の有する権利の代位行使を除き、独占的通常実施権の設定によっても、差止請求権が通常実施権者に認められることはない。以上から、空欄Cには「契約以外の手続は必要ありません」が入り、空欄Dには「認められない」が入る。

　よって、**ア**が正解である。

国際取引における売買契約について、(設問1)は英文契約の代金支払条項の内容を、(設問2)は荷為替信用状による商品代金決済の知識を問う問題である。

＜本契約書の該当条項の和訳＞

「支払い：本契約の下、Y社は、X株式会社に対し、商品がY社に到達してから30日以内に、X株式会社が指定した銀行口座に、「空欄A」を経由して代金を送金して支払うものとする。」

設問1 ● ● ●

上記の契約条項は、買主の代金支払義務の履行方法として、X株式会社の指定銀行（「bank account designated」が該当）に「送金」（＝空欄B）して支払う方法を定めている。また、代金支払（送金）の履行期は、Y社に商品が到達してから30日以内と定められており、X株式会社は商品引渡しの先履行を義務づけられることから、「物品の引渡しと代金の支払いの同時履行を実現することが困難である」（＝空欄C）内容となっている。

よって、**ア**が正解である。

設問2 ● ● ●

国際取引（貿易）における代金決済手段としては、(設問1)のような送金（電信送金や為替送金）による手段もあるが、この場合には、同時履行の実現が困難であるというリスクがある。そこで、これを回避する手段として、(設問2)のような信用状（荷為替信用状）による決済手段が用いられることが多い。国際取引では、相手方当事者が遠隔地にあるため、売主が商品を発送しても、買主から確実に代金を回収できるか、リスクがある。そこで発達したのが、荷為替手形という手段であるが、これに銀行による信用供与を加えて支払いをさらに確実にしたものが、荷為替信用状による決済である。信用状取引により、売主は商品の船積みと同時に代金を回収することができ、買主にとっても代金の前払いをする必要がなくなるというメリットがある。荷為替信用状による国際取引は、次の流れで行われる。

① 売買契約に基づき、「買主」（＝空欄D）が発行銀行に信用状（売買代金の支払いを担保するもの）の発行を依頼し、発行銀行が信用状を発行する。

② 発行銀行によって作成された信用状は、通知銀行（買取銀行ともいう）に送られ、「売主」（＝空欄E）に通知される。

③ 売主は、信用状に記載された条件に従って船積みを行い、運送人から船荷証

券（運送にかかる商品の引渡請求権を化体した有価証券）の発行を受ける。

④ 売主は、為替手形（荷為替手形という）を作成し、船荷証券とともに「通知銀行」（＝空欄F）に持参し、割り引いてもらい、商品の代金を回収する。

⑤ 「通知銀行」（＝空欄F）は、船荷証券と為替手形を「発行銀行」（＝空欄G）に送り、支払いを受ける。

⑥ 発行銀行は、買主にその代金の支払いと引換えに船荷証券を渡す。

⑦ 買主は、運送人に船荷証券を呈示し、船積みした製品を受け取る。

荷為替信用状による決済は、このように代金回収リスクを軽減し、国際取引の円滑化に資する制度である。

以上から、各空欄には、D＝「買主」、E＝「売主」、F＝「通知銀行」、G＝「発行銀行」がそれぞれ入る。

よって、**ウ**が正解である。

第18問

債権回収の担保（集合債権譲渡担保と動産売買の先取特権）について、知識を問う問題である。

民法が定める債権を担保する制度としては、保証（通常保証、連帯保証）のような人的担保の他、物的担保として抵当権、質権、留置権、先取特権がある。また、譲渡担保権のように商慣習法上発達してきた制度もある。本問は、このうち、上記2つ（集合債権譲渡担保と動産売買の先取特権）について問うものである。

設問1 ● ● ●

・空欄Aについて

売買代金債権の担保としては、保証の他、集合債権譲渡担保権の設定を受けることが考えられる。集合債権譲渡担保とは、債務者が第三債務者に対して有する、将来発生することのある複数の債権や、既発生の複数の債権に対し、その特定性を要件として、まとめて譲渡担保権を設定できるとするものである。この譲渡担保権の設定は、その実質は債権譲渡であるため、第三者対抗要件を具備することが必要となる。第三者に対しては、本来であれば、民法第467条2項により債務者から第三債務者に対する確定日付による通知が対抗要件となるはずである。しかし、民法による第三者対抗要件の具備は、非常に煩雑・困難であることから、法人がする金銭債権の譲渡等について、債権譲渡特例法（「動産及び債権の譲渡の対抗要件に関する民法の特例等に関する法律」）が制定されている。同法によれば、「法人が債権（金銭の支払を目的とするものであって、民法……の規定により譲渡されるものに限る。

以下同じ。）を譲渡した場合において、当該債権の譲渡につき債権譲渡登記ファイルに譲渡の登記がされたときは、当該債権の債務者以外の第三者については、同法第467条の規定による確定日付のある証書による通知があったものとみなす。この場合においては、当該登記の日付をもって確定日付とする。」（同法第4条1項）と規定されており、法人による集合債権譲渡担保の設定については、債権譲渡特例法が適用される。そこで、空欄Aには「債権譲渡登記をすることで、第三者対抗要件を具備することができます」が入る。

・空欄Bについて

次に、集合債権譲渡担保が設定された債権について、X株式会社が担保権を実行し、債権の履行を請求する場合、その目的債権に譲渡禁止特約が付されている等、譲渡制限付きであるときは、譲渡制限債権の行使の可否の問題となる。この場合、民法は、「当事者が債権の譲渡を禁止し、または制限する旨の意思表示（以下「譲渡制限の意思表示」という。）をしたときであっても、債権の譲渡は、その効力を妨げられない。」（民法第466条2項）として、譲渡制限が付されていても債権者の権利行使はできるとする。ただし、「前項に規定する場合には、譲渡制限の意思表示がされたことを知り、または重大な過失によって知らなかった譲受人その他の第三者に対しては、債務者は、その債務の履行を拒むことができ、かつ、譲渡人に対する弁済その他の債務を消滅させる事由をもってその第三者に対抗することができる。」（同条3項）とされる。

そこで、X株式会社が、譲渡制限特約について知っていた（悪意）または重大な過失によって知らなかった場合には、目的債権の債務者は、X株式会社からの請求を拒めることとなり、X株式会社は当該債権を請求できないこととなる。そこで、空欄Bには、「御社が、その禁止に係る特約が締結されたことを知り、又は重大な過失によって知らなかった場合には、請求できません」が入る。

よって、**ウ**が正解である。

設問2 ●●●

X株式会社が、Y社と特別な担保設定の合意をしていなかった場合でも、X株式会社は売買契約に基づいてY社に引き渡したタオル（商品）について、民法上当然に、先取特権を有する（動産売買の先取特権。民法第311条5号）。動産売買の先取特権は、売主が買主に売却した商品（動産）の売買代金債権およびその利息について、当該商品（動産）に対して認められる法定担保物権である（民法第321条）。本来、引渡した商品は買主の所有物であり、買主の総債権者の責任財産となるべきところ、代金の支払いが済んでいない商品または商品の価値代替物から、その売主の代金債

権および利息回収のための優先弁済を受ける権利を認める制度である。

　この動産売買先取特権は、特別な合意がなくても、法律上当然に認められるものであり、「先取特権は、その目的物の売却、賃貸、滅失または損傷によって債務者が受けるべき金銭その他の物に対しても、行使することができる。ただし、先取特権者は、その払渡しまたは引渡しの前に差押えをしなければならない。」(物上代位。民法第304条1項)とされている。本問の甲氏が心配するように、当該商品(タオル)がY社から小売業者に売却されてしまった場合には、その代金が小売業者からY社に払い渡されてしまう前に、Y社の小売業者に対する代金債権を差押えなければならない。なお、この払渡し前の差押えは、当該商品の価値代替物である代金債権を特定し、債務者Y社の一般財産に混入することを阻止すれば足りる趣旨と解されているので、当該商品の売主X株式会社だけでなく、Y社の一般債権者による差押えであっても、X株式会社は優先弁済権を主張することができる。

　そこで、空欄Cには「小売業者に売られた当該タオルの代金債権を差し押さえることができます」が入り、空欄Dには「Y社への当該タオルの代金の支払いの前に、御社又は他の一般債権者による差押えが必要になります」が入る。

　よって、**イ**が正解である。

第19問

　民法が定める解除の知識を問う問題である。

ア　✕：契約の性質により、特定の日時に履行しなければ契約をした目的を達することができない場合とは、いわゆる定期行為が該当する。定期行為とは、クリスマスケーキ1,000個を、12月24日の朝までにケーキ販売店に納品する売買契約のように、期限を過ぎれば、契約をした意味がなくなる契約である。定期行為に当たる場合、債務者が履行をしないでその時期を経過したときは、債権者は、催告をすることなく、直ちに当該契約を解除することができる(民法第542条1項4号)。

イ　✕：当事者の一方がその債務を履行しない場合において、相手方が相当の期間を定めてその履行の催告をし、その期間内に履行がないときは、相手方は、契約の解除をすることができる。ただし、その期間を経過した時における債務の不履行がその契約及び取引上の社会通念に照らして軽微であるときは、この限りでない(民法第541条)。債務者による不履行があっても、不履行の程度が軽微であるときは、解除することができない。この軽微性の判断は、債権者による催告に付された相当期間の経過後の時点を基準としてなされる。そこで、本肢のように、催告した時点では不履行の程度が軽微といえないとしても、催告期間中に債務者が債務の一部を履行したため、催告期間が経過した時になお残る不履行が軽微である場合には、債権

者が契約を解除することは認められない。

ウ　○：正しい。債務の不履行が、債権者のみの責めに帰すべき事由によるものであるときは、債権者による契約の解除は認められない（民法第543条）。債務不履行について帰責事由のある債権者に、契約の拘束力からの離脱を認めることは妥当ではないからである。

エ　✕：債務の全部の履行が不能であるとき、債権者は、催告をすることなく、直ちに契約の解除をすることができる（民法第542条1項1号）。民法においては、解除について、債務者の帰責事由は要件とされない。これは、解除は、債務者の責任追及の手段としての制度ではなく、債務の履行を得られなかった債権者を契約の拘束力から解放するための手段と位置づけられるからである。

よって、**ウ**が正解である。

第20問

　民法が定める契約不適合責任と、商法が定める買主の検査通知義務について問う問題である。

設問1 • • • •

　売買契約において、「引き渡された目的物が種類、品質または数量に関して契約の内容に適合しないものであるときは、買主は、売主に対し、目的物の修補、代替物の引渡しまたは不足分の引渡しによる履行の追完を請求することができる。ただし、売主は、買主に不相当な負担を課するものでないときは、買主が請求した方法と異なる方法による履行の追完をすることができる。」（民法第562条1項）。ただし、「前項の不適合が買主の責めに帰すべき事由によるものであるときは、買主は、同項の規定による履行の追完の請求をすることができない。」（同条2項）。

　本問では、X株式会社は売買契約に基づき、不具合のない1,000本の腕時計の引渡しを求める権利を有するところ、納品された腕時計の中に秒針の動かないものがあったというのであるから、「品質」に不適合があったといえる。この場合、X株式会社は代替物の引渡しの追完請求ができるが、Y社は、その追完請求に対し、X株式会社に不相当な負担を課すものでなければ、請求とは異なる方法で追完することができる。また、その不適合が買主の帰責事由によるものであるときは、追完請求は認められないことになる。

　そこで、空欄Aには「秒針が動かないことが買主である御社の責めに帰すべき事由によるものである場合は、できません」が入り、空欄Bには「修理という方法が買主である御社に不相当な負担を課するものである場合は、できません」が入る。

よって、**ア**が正解である。

Y社による腕時計の納品から10か月を経過した時点で、納品された腕時計に不良が発見された場合、本件売買契約が、商人間の売買でない場合には、民法の規定が適用され、買主は「売主が種類または品質に関して契約の内容に適合しない目的物を買主に引き渡した場合において、買主がその不適合を知った時から1年以内にその旨を売主に通知しないときは、買主は、その不適合を理由として、履行の追完の請求、代金の減額の請求、損害賠償の請求及び契約の解除をすることができない。」（民法第566条）とされていることから、契約不適合責任を追及できると考えられる。

しかし、本問ではX株式会社は「株式会社」であり、会社法上の会社は、その種類を問わず、当該会社の事業のためにする行為が商行為となる（会社法第5条）ため、当然にX株式会社は商人となる（商法第4条1項）。また、Y社は、株式会社かどうか会社形態は明らかではないが、「卸売業者」とあることから「自己の名をもって商行為をすることを業とする者」として、商人に該当する（商法第4条1項）。

以上から、X株式会社とY社はともに商人であり、両社間の腕時計の売買契約は、「商人間の売買」（＝空欄C）となる。

商人間の売買においては、民法と比較して、買主にも一定の義務が課される。「商人間の売買において、買主は、その売買の目的物を受領したときは、遅滞なく、その物を検査しなければならない。」（商法第526条1項）。「前項に規定する場合において、買主は、同項の規定による検査により売買の目的物が種類、品質または数量に関して契約の内容に適合しないことを発見したときは、直ちに売主に対してその旨の通知を発しなければ、その不適合を理由とする履行の追完の請求、代金の減額の請求、損害賠償の請求および契約の解除をすることができない。売買の目的物が種類または品質に関して契約の内容に適合しないことを直ちに発見することができない場合において、買主が6箇月以内にその不適合を発見したときも、同様とする。」（同条2項）。「前項の規定は、売買の目的物が種類、品質または数量に関して契約の内容に適合しないことにつき売主が悪意であった場合には、適用しない。」（同条3項）。

すなわち、商人間の売買契約においては、買主X株式会社にも、目的物受領時の遅滞なき検査義務が課されるのであり、少なくとも6か月以内には不適合があれば発見し、売主に対してその旨を通知しなければならない。これを怠ると、買主は売主に対し、契約不適合責任や債務不履行責任を追及することができなくなる。ただし、売主が契約不適合の事実について悪意であった場合には、例外的にこれらの責

任追及をすることができる。

　以上から、空欄Dには、「もう6か月経過しているので、Y社がその不良につき悪意でない限り、Y社に対する請求は困難です」が入る。

　よって、**イ**が正解である。

令和 2 年度問題

uestions

第1問

　令和2年4月1日に施行された「民法の一部を改正する法律」（平成29年法律第44号）により改正された民法（以下本問において「改正民法」という。）に関する記述として、最も適切なものはどれか。

　なお、本問においては、附則に定める経過措置は考慮しないものとする。

ア　改正民法においては、詐欺又は強迫による意思表示は無効とすると改正された。

イ　改正民法においては、法定利率を年5パーセントとするとの定めは改正されなかった。

ウ　改正民法においては、法律行為の要素に錯誤があった場合の意思表示は無効とするとの定めは改正されなかった。

エ　改正民法においては、保証人が個人である根保証契約は、貸金等根保証契約に限らず、極度額を定めなければ効力を生じないものと改正された。

第2問

　株式会社の設立に関する記述として、最も適切なものはどれか。

ア　株式会社を設立するに当たって、株式会社の定款に、発起人の氏名を記載又は記録する必要はない。

イ　発起設立における設立時取締役の選任は、定款に別段の定めがない場合、発起人の全員の同意により決定する。

ウ　発起人が複数いる場合、発起設立の場合には発起人の全員が設立時発行株式を引き受けなければならないが、募集設立の場合には、発起人の一人が設立時発行株式を引き受ければよく、発起人全員が設立時発行株式を引き受ける必要はない。

エ　発起人は、現物出資について裁判所選任の検査役の調査を経た場合、現物出資者又は当該財産の譲渡人である場合を除き、現物出資財産の不足額填補責任を負わない。

第3問

　監査役会設置会社において、実際に開催された株主総会及び取締役会の各議事録の比較に係る会社法（会社法施行規則を含む。）の規定に関する記述として、

最も適切なものはどれか。

なお、本問においては、いずれの議事録も書面により作成されているものとする。

ア　株主総会議事録、取締役会議事録のいずれも、出席した取締役及び監査役の全員が署名又は記名押印をする必要はない。

イ　株主総会議事録には株主総会が開催された日時及び場所を、取締役会議事録には取締役会が開催された日時及び場所を記載しなければならない。

ウ　株主総会議事録は株主総会の日から10年間本店に備え置かなければならないが、取締役会議事録は取締役会の日から5年間を超えて本店に備え置く義務はない。

エ　株主は、株主総会議事録、取締役会議事録のいずれも、裁判所の許可を得ることなく、株式会社の営業時間内はいつでも閲覧又は謄写の請求をすることができる。

第4問

民法においては、相続によって得た財産の限度においてのみ被相続人の債務及び遺贈を弁済すべきことを留保して、相続の承認をする「限定承認」が定められている。

この限定承認に関する記述として、最も適切なものはどれか。

なお、本問においては、法定単純承認事由は発生しておらず、また、相続放棄者、相続廃除者、相続欠格者はおらず、遺産分割協議は成立していないものとする。

ア　限定承認者は、限定承認に関する公告期間の満了前であっても、主要な相続債権者及び遺贈者に対しては一切弁済を拒むことはできず、これらの者から請求があれば、相続財産を超える部分についても、その全額を弁済しなければならない。

イ　限定承認者は、限定承認をしたあと1年以内であれば、その理由を問わず、撤回することができる。

ウ　限定承認は、家庭裁判所において伸長がなされない限り、自己のために相続の開始があったことを知った時から3か月以内にしなければならない。

エ　限定承認は、相続人が数人あるときであっても、共同相続人のうち一人が単独で行わなければならず、共同相続人の全員が共同して行うことはできない。

第5問

会社法が定める株式会社の合併に関する記述として、最も適切なものはどれ

か。

ア 吸収合併消滅会社の吸収合併による解散は、吸収合併の登記がなされるまでは第三者に対抗することができない。

イ 吸収合併存続会社は、債権者異議手続が終了していない場合においても、合併契約に定めた効力発生日に、吸収合併消滅会社の権利義務を承継する。

ウ 吸収合併存続会社は、私法上の権利義務のほか、吸収合併消滅会社が有していた行政機関による許認可などの公法上の権利義務についても、その権利義務の種類を問わず、当然に、その全てを吸収合併消滅会社から引き継ぐ。

エ 吸収合併における合併の対価は、株式に限られ、金銭を対価とすることはできない。

第6問 ★重要★

以下の会話は、X株式会社（以下「X社」という。）の取締役甲氏と、中小企業診断士であるあなたとの間で行われたものである。この会話を読んで、下記の設問に答えよ。

なお、X社は、会社法上の大会社ではなく、かつ公開会社ではない。

甲　氏：「X社は、これまで、私一人が取締役として事業を行っていましたが、今後、会社を大きくしたいので、まず手始めに取締役の人数を増やしたいと思っています。株式会社の機関設計には、いろいろな組み合わせがあると聞いて悩んでいます。どうしたらよいでしょうか。」

あなた：「取締役会を設置するかについては、どのように考えていますか。」

甲　氏：「取締役会を設置したいと考えています。」

あなた：「そうすると、X社では、取締役会を設置するということなので、　A　。監査役については、何か考えていますか。」

甲　氏：「まだ、どうしたらいいのか決めていません。どうすればよいですか。」

あなた：「会計参与や会計監査人を置くことは考えていますか。」

甲　氏：「いいえ。知り合いの会社でも会計参与や会計監査人は置いていないと聞きましたので、X社でも、置かないこととしたいです。」

あなた：「現在、X社の定款では、全ての株式の譲渡には株主総会の承認を必要とすると定めていますが、これを変更することは考えていますか。」

甲　氏：「取締役会を設ける予定のため、全ての株式の譲渡制限については、取締役会の承認を必要とするという定款の定めに変更しようと思っています。」

あなた：「これまでのお話をまとめると、今後、X社は、取締役会を設置する、会計
　　　　参与や会計監査人は設置しない、定款で全ての株式に譲渡制限に関する定
　　　　めを置くという会社にするということでよいですか。」

甲　氏：「はい、そうです。」

あなた：「そうすると、X社では、　　B　　。」

設問1 ●●●

　会話の中の空欄Aに入る記述として、最も適切なものはどれか。

　ア　甲氏以外の取締役を選任する場合、取締役は法人でも構いません

　イ　取締役の人数については、甲氏を含めて２人いればよく、３人までは必要あり
　　　ません

　ウ　取締役の人数については、甲氏を含めて３人以上必要になります

　エ　取締役の人数については、甲氏を含めて４人以上必要になり、そのうち１人は
　　　社外取締役でなければなりません

設問2 ●●●

　会話の中の空欄Bに入る記述として、最も適切なものはどれか。

　ア　監査役会を設置しない場合、定款の定めにより、監査役の権限を会計監査に関
　　　する事項に限定することができます

　イ　監査役会を設置する場合には、監査役は３人以上必要ですが、社外監査役を置
　　　く必要はありません

　ウ　監査役を置く代わりに、指名委員会等設置会社にして監査委員を置いたり、監
　　　査等委員会設置会社にして監査等委員を置くことができます

　エ　監査役を設置しないこともできます

第7問　　★重要★

　取締役会設置会社における自己株式に関する記述として、最も適切なものは
どれか。

　なお、本問における株式会社は、監査役会設置会社であり、また、種類株式
発行会社ではなく、定款において自己株式に係る特段の定めはないものとする。

　ア　株式会社は、その保有する自己株式について、議決権を有する。

イ　株式会社は、その保有する自己株式について、剰余金の配当をすることができる。

ウ　株式会社は、その保有する自己株式について、新株予約権の無償割当てをすることができる。

エ　株式会社は、その保有する自己株式を消却する場合、取締役会決議によって、消却する自己株式の数を定めなければならない。

第8問

産業財産権に関する記述として、最も適切なものはどれか。

ア　国内優先権制度は、特許法及び意匠法には存在するが、実用新案法及び商標法には存在しない。

イ　出願公開制度は、特許法及び商標法には存在するが、実用新案法及び意匠法には存在しない。

ウ　存続期間の更新制度は、意匠法及び商標法には存在するが、特許法及び実用新案法には存在しない。

エ　訂正審判制度は、意匠法及び商標法には存在するが、特許法及び実用新案法には存在しない。

第9問　　★重要★

　　以下の会話は、C株式会社の代表取締役甲氏と、中小企業診断士であるあなたとの間で行われたものである。

　　会話の中の空欄AとBに入る記述の組み合わせとして、最も適切なものを下記の解答群から選べ。

甲　氏：「当社が製造販売するアイスキャンディーに使っている恐竜のキャラクター『ガリガリザウルス』をご存じですよね。いま、すごく人気が出ているのですが、このフィギュアやステッカーを作って販促品にしようと思っています。そこで、あらためて、このキャラクターの著作権が誰のものか気になって、相談したいのです。」

あなた：「その『ガリガリザウルス』の絵柄は、どなたが描いたのですか。」

甲　氏：「当社の商品開発部が考えた商品コンセプトに基づいて、パッケージデザインを担当する宣伝部の若手社員が業務として描き下ろしたものです。」

あなた：「そういうことでしたら、その絵柄は職務著作に該当しそうですね。」

甲　氏：「その職務著作とやらに該当したら、『ガリガリザウルス』の絵柄の著作権

　　　　　は、誰の権利になるのでしょうか。」

あなた：「社員と会社との間に契約、勤務規則その他に別段の定めがないのでしたら、

　　　　　著作者は　　A　　となります。権利については　　B　　ことになります。」

甲　　氏：「なるほど、分かりました。」

［解答群］

ア　A：従業者である社員

　　B：著作者人格権は社員が有しますが、著作権は使用者である会社が有す
　　　　る

イ　A：従業者である社員

　　B：著作者人格権は社員が有しますが、著作権は使用者である会社と社員
　　　　が共有する

ウ　A：使用者である会社

　　B：著作者人格権と著作権の両方を会社が有する

エ　A：使用者である会社

　　B：著作者人格権は会社が有しますが、著作権は会社と従業者である社員
　　　　が共有する

第10問

　工業所有権の保護に関するパリ条約に規定する優先権の期間についての記述
として、最も適切なものはどれか。

ア　特許、実用新案及び意匠に認められる優先権は12か月であり、商標に認められる
　　優先権は6か月である。

イ　特許及び意匠に認められる優先権は12か月であり、実用新案及び商標に認められ
　　る優先権は6か月である。

ウ　特許及び実用新案に認められる優先権は12か月であり、意匠及び商標に認められ
　　る優先権は6か月である。

エ　特許及び商標に認められる優先権は12か月であり、実用新案及び意匠に認められ
　　る優先権は6か月である。

以下の会話は、D株式会社の代表取締役甲氏と、中小企業診断士であるあなたとの間で行われたものである。

会話の中の空欄AとBに入る記述の組み合わせとして、最も適切なものを下記の解答群から選べ。

甲　氏：「今年も暑く、ファン付き作業服が好調です。特に、この春に発売した新商品『トルネード』が大ヒットしています。」

あなた：「強力に冷却される感じがして、良いネーミングですね。」

甲　氏：「困ったことに、ライバルメーカーが早くも『トーネード』なる名前を付けて同種の作業服を売り始めています。なにか対策を考えないといけないと思っています。」

あなた：「まずは商標登録出願すること、そして不正競争防止法2条1項1号に規定する商品等表示の不正競争行為として警告することが考えられますね。」

甲　氏：「商標登録は登録まで時間がかかりますよね。のんびり待っていられないので、不正競争防止法だけで対策したいと思いますが、どうですか。」

あなた：「今回主張できると考えられる不正競争防止法2条1項1号は、　A　を自ら立証しなければなりませんから、その労力がとても大きいのです。今回、相手の作業服と御社の作業服は商標法上、同一商品といえるでしょう。そのため、商標権の行使であれば、御社商標「トルネード」と相手商標「トーネード」が　B　と認められれば侵害になりますから、商標登録して商標権を取得することが賢明だと思います。使用している商標が模倣された場合、商標登録の早期審査を請求できる場合があるようです。」

甲　氏：「そうなのですか。登録に時間がかからないなら、商標登録も考えてみます。」

あなた：「もしよろしければ、商標を得意とする特許事務所を紹介します。」

［解答群］

ア　A：御社商標が需要者の間に広く認識されていること、及び御社商標と同一若しくは類似の商標を付した相手商品が御社商品と混同を生じさせること

　　B：需要者に混同を生じさせる

イ　A：御社商標が需要者の間に広く認識されていること、及び御社商標と同一若しくは類似の商標を付した相手商品が御社商品と混同を生じさせ

ること

　　B：類似する

ウ　A：御社商標が著名であること

　　B：需要者に混同を生じさせる

エ　A：御社商標が著名であること

　　B：類似する

第12問　　★重要★

実用新案法と特許法の比較に関する記述として、最も不適切なものはどれか。ただし、存続期間の延長は考慮しないものとする。

ア　権利侵害に基づく差止請求を行使する場合、実用新案権は特許庁による技術評価書を提示する必要があるが、特許権は不要である。

イ　実用新案権の存続期間は出願日から10年、特許権の存続期間は出願日から20年である。

ウ　実用新案出願は審査請求を行わなくとも新規性や進歩性などを判断する実体審査が開始されるが、特許出願は出願日から3年以内に審査請求を行わないと実体審査が開始されない。

エ　物品の形状に関する考案及び発明はそれぞれ実用新案法及び特許法で保護されるが、方法の考案は実用新案法では保護されず、方法の発明は特許法で保護される。

第13問　　★重要★

以下の会話は、中小企業診断士であるあなたと、E株式会社の代表取締役甲氏との間で行われたものである。

会話の中の空欄AとBに入る記述の組み合わせとして、最も適切なものを下記の解答群から選べ。

あなた：「御社の紙製ストローの販売が好調のようですね。」

甲　氏：「おかげさまで、タピオカミルクティー用の紙製ストローが、プラスチック製ストローの代替製品として好評です。しかし、好事魔多しです。おととい、同業者であるF社からこの紙製ストローが同社の最近登録された特許権を侵害するとの警告書が来ました。どうしたらよいでしょうか。」

あなた：「一般的には、①特許発明の技術的範囲に属していないと反論する、②相手の特許権に対抗する正当権限を主張する、③相手の特許権自体を無効にする、④対抗することが難しい場合はライセンス交渉や設計変更を考える、といった選択肢があります。」

甲　氏：「正当権限とはどのようなものですか。」

あなた：「最も一般的なのは先使用権です。この権利を主張するためには、　A　の際、現に、日本国内においてその発明の実施である事業をしている者又はその事業の準備をしている者である必要があるので、しっかりした証拠を集めないといけません。」

甲　氏：「当社は、ずいぶん前から、大口顧客に試作品を提供して意見を聞いていましたから、証拠はそろえられると思います。ああ、そうだ、このように当社の試作品が早いのですから、相手方の特許発明はすでに新規性がなかったとして特許権を無効とすることはできませんか。」

あなた：「その顧客が店頭で試験的に使用していた可能性もありますね。いずれにしろ、新規性を喪失しているかどうかは、御社試作品の実施の事実が　B　かどうかが問題となります。」

甲　氏：「なるほど。」

あなた：「いずれにしろ、警告書に対する回答書を出さなければならないでしょう。よろしければ、特許紛争に強い弁護士を紹介します。」

甲　氏：「ぜひ、よろしくお願いします。」

［解答群］

ア　A：特許の出願

　　B：公然の実施に当たる

イ　A：特許の出願

　　B：多数に対する実施に当たる

ウ　A：特許の登録

　　B：公然の実施に当たる

エ　A：特許の登録

　　B：多数に対する実施に当たる

不正競争防止法に関する記述として、最も適切なものはどれか。

ア 不正競争防止法第2条第1項第3号に規定するいわゆるデッドコピー規制による保護期間は、日本国内において最初に販売された日から起算して5年を経過するまでである。

イ 不正競争防止法第2条第1項第4号乃至第10号で規定される営業秘密とは営業上の情報のみならず、技術上の情報を含む。

ウ 不正競争防止法第2条第1項第4号乃至第10号で保護される営業秘密となるためには、秘密管理性、有用性、創作性が認められる必要がある。

エ 不正競争防止法第2条第1項第4号乃至第10号で保護される営業秘密は、条件を満たせば不正競争防止法第2条第1項第11号乃至第16号で保護される限定提供データにもなる。

第15問

著作権法上、著作権者の許諾を得ずに著作物を利用できる「著作物の引用」となり得る行為として、最も適切なものはどれか。

ア 引用することができる著作物を翻訳して利用すること。

イ 公表されていない著作物を利用すること。

ウ 複製の態様に応じ合理的と認められる方法及び程度により著作物の出所を明示しないで、著作物を複製すること。

エ 報道、批評、研究その他の引用の目的上正当な範囲を超えて著作物を利用すること。

第16問

以下の会話は、株式会社Pの代表取締役甲氏と、中小企業診断士であるあなたとの間で行われたものである。この会話を読んで、下記の設問に答えよ。

なお、空欄Cは、設問ではなく、あえて空欄としているものであり、解答する必要はない。

甲 氏：「弊社は、 A として、a国のQ社との間で売買契約を締結する予定です。Q社から提示された売買契約書案には、以下のような条項があるのですが、変更を申し入れる必要はありませんか。

In no event shall the liability of the Seller for breach of any contractual provision relating to the Goods exceed the purchase price of the Goods quoted herein. Any action resulting from any breach by the Seller must be commenced by the Buyer within two weeks after the Goods are delivered.」

あなた：「この規定は、御社にとって、不利益な条項となっております。例えば、　B　という点があります。」

甲　氏：「ありがとうございます。以下の規定は、どのような内容のものですか。This Agreement shall be governed by and construed in accordance with the　C　.」

あなた：「この規定は、　D　に関する規定です。　E　。全体にわたって相談が必要でしたら、弁護士を紹介することは可能です。」

甲　氏：「ぜひ、よろしくお願いいたします。」

設問1 ● ● ●

　会話の中の空欄AとBに入る記述の組み合わせとして、最も適切なものはどれか。

ア　A：売主　　B：買主の契約違反に対する訴訟提起の期間が短い

イ　A：売主　　B：買主の賠償の上限が商品の購入価格とされている

ウ　A：買主　　B：売主の契約違反に対する訴訟提起の期間が短い

エ　A：買主　　B：売主の賠償の上限が現実に生じた損害に限定されている

設問2 ● ● ●

　会話の中の空欄DとEに入る記述の組み合わせとして、最も適切なものはどれか。

ア　D：裁判管轄　　E：α国となると多額の費用がかかる可能性があります

イ　D：裁判管轄　　E：判決を取得した後の執行可能性の問題があります

ウ　D：準拠法　　　E：裁判管轄が決まれば、必然的に準拠法が決まります

エ　D：準拠法　　　E：内容を容易に知り理解できる国の法律が望ましいです

民法に定める相隣関係に関する記述として、最も適切なものはどれか。
なお、公法的規制は考慮せず、別段の慣習はないものとする。

ア　導水管を埋め、又は溝を掘るには、境界線からその深さと同一以上の距離を保た
　なければならない。
イ　分割によって公道に通じない土地が生じたときは、その土地の所有者は、公道に
　至るために、その土地を囲んでいる全ての土地のうち損害が最も少ない場所を通行
　しなければならない。
ウ　屋根を隣地との境界線を越えて隣地に出す場合は違法であるが、直接に雨水を隣
　地に注ぐ構造の屋根を設けることは適法である。
エ　隣地の竹木の枝が境界線を越えるときは、その竹木の所有者に、その枝を切らせ
　ることができるにとどまるが、隣地の竹木の根が境界線を越えるときは、自らその
　根を切ることができる。

時効に関する記述として、最も適切なものはどれか。
なお、「民法の一部を改正する法律」（平成29年法律第44号）により改正され
た民法が適用されるものとし、附則に定める経過措置及び特約は考慮しないも
のとする。

ア　飲食店の飲食料に係る債権は、１年間行使しないときは、消滅する。
イ　債権について催告がなされ、その後本来の時効期間が経過し、時効の完成が猶予
　されている間に、当該債権についての協議を行うことの合意が書面でされても、そ
　れに基づく時効の完成猶予の効力は生じない。
ウ　債権は、時効の完成猶予や更新がなければ、債権者が権利を行使することができ
　ることを知った時から10年間行使しないときに初めて時効によって消滅する。
エ　天災のため時効の更新をするための手続を行うことができないときには、その障
　害が消滅した時から２週間を経過して初めて時効は完成する。

詐害行為取消権に関する記述として、最も適切なものはどれか。
なお、「民法の一部を改正する法律」（平成29年法律第44号）により改正され
た民法が適用されるものとし、附則に定める経過措置は考慮しないものとする。

ア　債権者による詐害行為取消請求が認められるには、被保全債権そのものが詐害行為より前に発生していなければならず、その発生原因となる事実のみが詐害行為より前に発生している場合に認められることはない。

イ　債権者は、詐害行為によって利益を受けた者に対する詐害行為取消請求において、債務者がした行為の取消しをすることはできるが、その行為によって利益を受けた者に移転した財産の返還を請求することはできない。

ウ　債務者が、その有する不動産を処分した場合であっても、当該不動産を譲り受けた者から当該不動産の時価相当の対価を取得していれば、債権者による詐害行為取消請求が認められることはない。

エ　詐害行為の目的である財産が可分であり、かつ、その価額が被保全債権の額を超過するときは、債権者は、被保全債権の額の限度においてのみ詐害行為の取消しを請求することができる。

第20問　★重要★

　事業のために負担した貸金等債務を主たる債務とする保証契約に関する記述として、最も適切なものはどれか。

　なお、「民法の一部を改正する法律」（平成29年法律第44号）により改正された民法が適用されるものとし、附則に定める経過措置及び特約は考慮しないものとする。

ア　個人事業主の配偶者であって、当該事業に現に従事していない者が、主たる債務者である当該個人事業主の保証人になろうとする場合、保証債務を履行する意思を公正証書により表示する必要がある。

イ　自然人が保証人となる場合、保証契約の締結の日前14日以内に作成された公正証書で保証債務を履行する意思を表示していなければ、その効力を生じない。

ウ　主たる債務者が法人である場合のその取締役が保証人になろうとする場合、保証債務を履行する意思を公正証書により表示する必要がある。

エ　法人が保証人となる場合には、保証契約は書面で行う必要はない。

第21問

　以下の会話は、株式会社Zの代表取締役甲氏と、中小企業診断士であるあなたとの間で行われたものである。この会話を読んで、下記の設問に答えよ。

　なお、「民法の一部を改正する法律」（平成29年法律第44号）により改正された民法が適用されるものとし、附則に定める経過措置は考慮しないものとする。

甲　氏：「インターネットを使ったBtoCの新しいサービスを始める予定です。そのサービスを利用してもらうに当たっては、ルールを作って、そのサービスの利用者に守ってもらいたいと考えているのですが、どのようにすればよろしいでしょうか。」

あなた：「そのルールは、定型約款に該当し得ることになります。定型約款を御社とサービス利用者との間の合意内容とするためには、サービス利用者の利益を一方的に害するような内容でないこと等を前提として、その定型取引を行うことを合意した上で、御社が　A　。」

甲　氏：「ありがとうございます。他に対応しなければならないことはありますか。」

あなた：「一時的な通信障害が発生した場合等を除き、　B　。」

甲　氏：「分かりました。途中でその定型約款の内容を変更しようと思ったときには、変更は可能なのでしょうか。」

あなた：「　C　。その定型約款は慎重に作成する必要がありますので、私の知り合いの弁護士を紹介しますよ。」

甲　氏：「よろしくお願いいたします。」

設問1 ● ● ●

　会話の中の空欄AとBに入る記述の組み合わせとして、最も適切なものはどれか。

ア　A：あらかじめその定型約款を契約の内容とする旨をサービス利用者に表示していれば足ります

　　　B：定型取引を行うことの合意前においてサービス利用者から請求があった場合にその定型約款の内容を示さないと、定型約款は契約内容となりません

イ　A：あらかじめその定型約款を契約の内容とする旨をサービス利用者に表示していれば足ります

　　　B：定型取引を行うことの合意前においてサービス利用者から請求があった場合にその定型約款の内容を示さないと、定型約款は契約内容となりません。これは、合意後に請求があった場合も同様です

ウ　A：サービス利用者との間で定型約款を契約の内容とする旨の個別の合意をするしかありません

　　　B：定型取引を行うことの合意前においてサービス利用者から請求があった場合にその定型約款の内容を示さないと、定型約款は契約内容となりません

エ　A：サービス利用者との間で定型約款を契約の内容とする旨の個別の合意をす

るしかありません

B：定型取引を行うことの合意前においてサービス利用者から請求があった場合にその定型約款の内容を示さないと、定型約款は契約内容となりません。これは、合意後に請求があった場合も同様です

設問2 ●●●
　会話の中の空欄Cに入る記述として、<u>最も不適切なものはどれか。</u>

ア　定型約款の中に、民法と異なる変更要件に係る特約を規定すれば、いかなる特約であっても、当該特約に従って自由に変更ができます

イ　定型約款の変更は、効力発生時期が到来するまでに周知しないと、その効力を生じないことがあります

ウ　定型約款の変更をするときは、効力発生時期を定め、かつ、変更する旨及び変更後の内容並びにその効力発生時期を周知しなければなりません

エ　変更がサービス利用者の一般の利益に適合するときは、個別にサービス利用者と合意をすることなく、契約の内容を変更することができます

第22問

請負又は委任に関する記述として、最も適切なものはどれか。
なお、「民法の一部を改正する法律」（平成29年法律第44号）により改正された民法が適用されるものとし、附則に定める経過措置及び特約は考慮しないものとする。

ア　委任において、受任者は、委任者の許諾を得たとき、又はやむを得ない事由があるときでなければ、復受任者を選任することができない。

イ　請負人が品質に関して契約の内容に適合しない仕事の目的物を注文者に引き渡した場合、注文者は、その引渡しを受けた時から1年以内に当該不適合を請負人に通知しない限り、注文者が当該不適合を無過失で知らなかった場合でも、当該不適合を理由として、履行の追完の請求、報酬の減額の請求、損害賠償の請求及び契約の解除をすることはできない。

ウ　不可抗力によって委任事務の履行をすることができなくなったときは、受任者は、既にした履行の割合に応じた報酬さえも請求することはできない。

エ　不可抗力によって仕事を完成することができなくなった場合において、仕事内容が可分であり、注文者が既履行部分の給付によって利益を受けるときでも、請負人

は、当該利益の割合に応じた報酬さえも請求することはできない。

令和 **2** 年度
解答・解説

nswers

問題		解答	配点	正答率※	問題		解答	配点	正答率※	問題		解答	配点	正答率※
第1問		エ	4	C	第9問		ウ	4	C	第17問		エ	4	C
第2問		エ	4	E	第10問		ウ	4	D	第18問		イ	4	D
第3問		イ	4	C	第11問		イ	4	C	第19問		エ	4	B
第4問		ウ	4	A	第12問		ウ	4	B	第20問		ア	4	C
第5問		ア	4	C	第13問		ア	4	A	第21問	(設問1)	ア	4	D
第6問	(設問1)	ウ	4	A	第14問		イ	4	A		(設問2)	ア	4	A
	(設問2)	ア	4	B	第15問		ア	4	B	第22問		ア	4	C
第7問		エ	4	B	第16問	(設問1)	ウ	4	C					
第8問		イ	4	C		(設問2)	エ	4	D					

※TACデータリサーチによる正答率
　正答率の高かったものから順に、A～Eの5段階で表示。
A：正答率80％以上　　　　　　　B：正答率60％以上80％未満　　　　C：正答率40％以上60％未満
D：正答率20％以上40％未満　　　E：正答率20％未満

※解答・配点は一般社団法人日本中小企業診断士協会連合会の発表に基づくものです。

第1問

　令和2年4月1日施行の改正民法の改正点（意思表示、法定利率、保証）の知識を問う問題である。

ア　✕：詐欺または強迫による意思表示については、従前より「詐欺または強迫による意思表示は、取り消すことができる。」（民法第96条1項）と規定され、この点についての改正はなされていない。そこで、詐欺または強迫による意思表示を無効とする改正がなされた、との本肢の記述は不適切である。

イ　✕：民法による法定利率は、従来の年利5パーセントの固定利率から、変動利率制に改められた。契約等当事者の合意によって利率に特段の約定がない場合、民法による法定利率が適用される（民法第404条1項）。その法定利率は、改正当初は、年3パーセントとされた（同条2項）。この法定利率は、法務省令で定めるところにより、3年ごとに、3年を一期として変更されるものとされている（同条3項）。また、民法改正を機に商事法定利率を6パーセントと定める商法第514条は削除されたため、民事・商事を問わず、法定利率は、民法に基づく変動利率に一本化されることとなった。

ウ　✕：従来、法律行為の要素に錯誤があった場合の意思表示は、無効と定められていた。改正された民法は、「意思表示は、次に掲げる錯誤に基づくものであって、その錯誤が法律行為の目的および取引上の社会通念に照らして重要なものであるときは、取り消すことができる。①意思表示に対応する意思を欠く錯誤（＝表示の錯誤）、②表意者が法律行為の基礎とした事情についてのその認識が真実に反する錯誤（＝動機の錯誤）」と改めた（民法第95条1項）。このように、錯誤による意思表示は、**無効ではなく、取消し事由とされた**。

エ　〇：正しい。個人根保証契約をはじめとするリスクの高い保証契約について、保証人を保護する改正がなされた。個人根保証契約とは、一定の範囲に属する不特定の債務を主債務とする保証契約であって、法人が保証人でないものをいう。個人根保証契約の保証人は、主たる債務の元本、利息、違約金、損害賠償その他その債務の従たる全てのものおよびその保証債務について約定された違約金または損害賠償の額について、その全部に係る「極度額」を限度として、保証債務を履行する義務を負う（民法第465条の2第1項）。このように、個人根保証契約は、「極度額」（保証の限度額のこと）を定めなければ、その効力を生じない（同条2項）。従来、貸金等根保証契約では「極度額の定め」が必要とされていたが、たとえば、不動産の

賃貸借契約における保証契約（子どもがアパートを賃借する際にその賃料などを大家（賃貸人）との間で親がまとめて保証するケースなど）では、「極度額」の定めについては特に規定がなかった。これが、改正により、貸金等根保証契約に限られず、保証人が個人である根保証契約全般について、「極度額」の定めが必要とされた。なお、保証契約は、書面または電磁的記録によってしなければその効力を生じない（民法第446条２項、３項）との規定は、個人根保証契約における極度額の定めについて準用される（民法第465条の２第３項）ため、極度額の定めは、書面または電磁的記録で定めなければ、その効力を生じない。

よって、**エ**が正解である。

第2問

株式会社の設立について、発起人に関する詳細な知識を問う難問である。

ア ✕：発起人とは、株式会社設立の企画者として、当該株式会社の定款に署名または記名押印（もしくはこれに代わる電子署名）をした者をいう。株式会社の設立に当たっては、発起人は、株式会社の組織及び事業の根本規則として、定款を作成し、署名または記名押印しなければならない（会社法第26条１項）。定款は、電磁的記録をもって作成することができるが、この場合には、電子署名が必要となる（同条２項）。このように、設立時の定款（原始定款）には、発起人の氏名を記載または記録する必要がある。

イ ✕：設立時取締役とは、株式会社の設立に際して取締役となる者をいう（会社法第38条１項括弧書）。発起人は、出資の履行が完了した後、遅滞なく設立時取締役を選任しなければならない。発起設立の場合、発起人は少なくとも１株以上の設立時発行株式を引き受け、１株について１議決権が与えられるのが原則となる（会社法第40条２項）。そして、設立時取締役の選任は、**発起人の議決権の過半数をもって決定する**（会社法第40条１項）こととされている。本肢の記述のように、「発起人の全員の同意」までは要件とされない。

ウ ✕：発起人は、発起設立、募集設立のいずれの方法で株式会社を設立する場合でも、設立時発行株式を１株以上引き受けなければならない（会社法第25条２項）。発起人が複数いる場合、その全員がそれぞれ１株以上の設立時発行株式を引き受ける必要がある。

エ ○：正しい。発起設立の場合の不足額填補責任とは、発起人や設立時取締役（以下、「発起人等」という。）が、現物出資または財産引受の対象となった財産価額が、定款に記載・記録された価額に著しく不足する場合に、連帯してその不足差額を支払わなければならない義務をいう（会社法第52条１項）。この責任は、株主間の公

平を図り、会社財産を確保するために発起人等に課される過失責任である。したがって、発起人自身が現物出資者または当該財産の譲渡人である場合を除いて、①現物出資について裁判所の選任する検査役の調査を経た場合（会社法第52条2項1号）や、②発起人等がその職務を行うについて注意を怠らなかったことを証明した場合（同条同項2号）には、不足額填補責任は課されない（①②の場合でも、発起人自身が現物出資者または当該財産の譲渡人である場合には、不足額填補責任を負う）。よって、**エ**が正解である。

第3問

　株主総会および取締役会の各議事録の共通点・相違点について、会社法および会社法施行規則を含めた詳細な知識を問う問題である。株主総会および取締役会は、ともに株式会社の運営を決定する合議体であるが、その性質の相違に従って、制度上も異同がある。

ア ✕：株主総会の議事は、法務省令（会社法施行規則）の定めるところにより、議事録を作成しなければならない（会社法第318条1項）。そして、株主総会議事録には、会社法施行規則第72条3項4号により、株主総会に出席した取締役、執行役、会計参与、監査役または会計監査人の氏名または名称を記載することとされている。ただし、株主総会議事録については、署名または記名押印をする者を定めた明文はない。一方、取締役会の議事については、法務省令（会社法施行規則）の定めるところにより、議事録を作成しなければならず、議事録が書面によって作成されているときは、出席した取締役及び監査役は、これに署名し、または記名押印しなければならない（会社法第369条3項）。このように、両者ともに議事録を作成しなければならないことは共通であるが、株主総会議事録については、出席取締役および監査役の署名または記名押印は必ずしも必要ではない。これに対して、取締役会議事録には、出席した取締役および監査役の全員が署名または記名押印する必要がある。

イ ○：正しい。株主総会の開催日時および場所は、株主総会議事録に記載しなければならない（会社法第318条1項、会社法施行規則第72条3項1号）。取締役会の開催日時および場所も、取締役会議事録に記載しなければならない（会社法第369条3項、会社法施行規則第101条3項1号）。この点、両者に相違はない。

ウ ✕：株主総会議事録は、株主総会の日から10年間本店に備え置かなければならない（会社法第318条2項）。なお、株主総会議事録の写しは5年間支店に備え置かなければならない（同条3項）。取締役会議事録は、取締役会の日から10年間本店に備え置かなければならない（会社法第371条1項）。取締役会議事録については、支店での備置き義務はない。このように、本店における株主総会議事録と取締役会議

事録の備置き期間は、ともに10年間であり、相違はない。

エ ✕：株主総会議事録については、株主および会社債権者は、株式会社の営業時間内は、いつでもその閲覧または謄写を請求することができる（会社法第318条４項）。取締役会議事録については、株主は、その権利を行使するための必要があるときは、株式会社の営業時間内は、いつでもその閲覧または謄写を請求することができるのが原則である（会社法第371条２項）。しかし、監査役設置会社、監査等委員会設置会社または指名委員会等設置会社においては、株主からの閲覧または謄写請求は、裁判所の許可を得ることが必要とされる（同条３項）。そして、裁判所は、閲覧または謄写によって、当該取締役会設置会社またはその親会社もしくは子会社に著しい損害を及ぼすおそれがあると認めるときは、許可をすることができない（同条６項）。また、取締役会設置会社における会社債権者の取締役会議事録の閲覧または謄写請求についても、裁判所の許可が要件となる（同条４項）。このように、取締役会議事録の閲覧または謄写の請求については、裁判所の許可を要する場合がある。本問の株式会社は、監査役会設置会社であるから、当然、監査役設置会社にも該当するため、株主の株主総会議事録の閲覧または謄写請求には裁判所の許可は不要であるが、取締役会議事録の閲覧または謄写請求については裁判所の許可が必要となる。

よって、**イ**が正解である。

第4問

民法の相続の限定承認について問う問題である。

相続人が、相続によって得た財産の限度においてのみ被相続人の債務及び遺贈を弁済すべきことを留保して、相続の承認をすることを、限定承認という。相続財産が明らかに債務超過である場合、負債を相続することを望まない相続人は相続放棄をすれば足りる。しかし、債務超過の可能性があるという微妙な場合、限定承認をして清算した結果、プラスの積極財産が残れば、相続人にとって有利である。民法は、この限定承認の制度と清算の仕組みを定めている。

ア ✕：限定承認がなされると、相続財産についての清算手続が開始する。まず相続人の中から相続財産管理人（清算人）が選任され（民法第936条１項）、一定の期間（２か月を下回ることができない。）を定めて相続債権者および受遺者に対し、請求をすべきこと及び請求がないときは弁済から除斥することを公告する（民法第927条）。この限定承認に関する公告期間の満了前は、限定承認者は、相続債権者および受遺者への弁済を拒絶することができる（民法第928条）。したがって、本肢の記述のように、一切弁済を拒むことができないとか、その全額を弁済しなければなら

ないということはない。

イ ✕：相続の承認および放棄は、早期に法律関係を確定することが望ましいから、原則として撤回することはできない（民法第919条1項）。ただし、制限能力、詐欺・強迫を理由とする放棄・承認の取消しは妨げられないが、この場合においても、6か月の短期消滅時効で取消権は消滅する。したがって、理由を問わず限定承認を撤回することができるとする本肢の記述は不適切である。

ウ 〇：正しい。相続人は、自己のために相続の開始があったことを知った時から3か月以内に、相続について単純もしくは限定承認または放棄をしなければならない（民法第915条1項本文）。なお、家庭裁判所は、利害関係人または検察官の請求によって、この期間を伸長することができる（民法第915条1項ただし書）。

エ ✕：相続人が数人あるときは、限定承認は、共同相続人の全員が共同してのみこれをすることができる（民法第923条）。限定承認の場合に、個々の相続人ごとの別異の取扱いを認めると、手続が煩雑になり、相続に関する法律関係の早期確定を図れないからである。

よって、**ウ**が正解である。

第5問

株式会社の合併について問う問題である。

ア 〇：正しい。吸収合併の場合、合併契約で定めた効力発生日（会社法第749条1項6号）に吸収合併消滅会社の権利義務の全部を吸収合併存続会社が承継し、同時に、吸収合併消滅会社は解散（消滅）する。しかし、吸収合併の登記は、合併の効力発生日から遅れて申請されることがあり、この場合には効力発生日から登記の日までの期間は、吸収合併消滅会社がいまだ解散していない外観が生じてしまうことになる。そこで、会社法は、合併の登記がなされるまでの間、吸収合併消滅会社は、第三者の善意または悪意を問わず、解散したことを第三者に対抗できないとしている（会社法第750条2項、なお、持分会社も同様に同法第752条2項）。

イ ✕：吸収合併においては、債権者保護（異議）手続を履行しなければならない（会社法第789条等）。その内容は、合併事項を官報公告すること、かつ、知れている債権者に対する個別の催告（原則）と、債権者に異議がある場合には、1か月を下回らない期間に異議を申し出ることを公告することである。合併の効力発生には、債権者保護（異議）手続が完了していることが要件とされており、手続が終了していない場合には、合併の効力は、手続が終了するまでは発生しない（会社法第750条6項）。したがって、債権者保護（異議）手続が終了するまでは、合併契約で定めた効力発生日が到来しても、吸収合併消滅会社の権利義務は吸収合併存続会社に承

継されない。なお、この規定（債権者保護（異議）手続が終了しない場合には効力が発生しない規定）は、吸収合併に限られず、**債権者保護（異議）手続を必要とする全ての規定に共通である。**

ウ　✕：合併は、２つ以上の合併当事会社が合併契約によって１つの会社に合体することであり、会社法により、吸収合併の場合には、吸収合併消滅会社の権利義務の全部が吸収合併存続会社に承継される。これは、私法上の権利義務については当てはまるが、会社に与えられていた許認可などの公法上の権利義務については、一概に、当然に承継されるとはいえない。なぜなら、会社法とは別途、許認可の根拠法である各種業法によって許認可の承継について、要件が異なるからである。

　たとえば、①原則として届出のみで承継される許認可としては、クリーニング業、理・美容業、浴場業、飲食業などがあるが、②新規の許認可が必要な場合として、一般旅客運送業、ホテル・旅館業などがある。②の方が、人の生命や安全、健康にかかわる事業であるので、合併によっても直ちに許認可が承継されないということも頷ける。したがって、合併によって、公法上の権利義務についても、その権利義務の種類を問わず、当然に、その全てが引き継がれるわけではない。

エ　✕：吸収合併における合併の対価は、吸収合併存続会社の発行する新株や自己株式であることが原則である。しかし、会社法の下では、吸収型の組織再編行為（吸収合併、株式交換、吸収分割）の場合には、いわゆる対価の柔軟化が図られ、吸収合併存続会社の株式以外の財産（株式に代わる金銭等）を対価とすることが認められる（会社法第749条１項２号）。財産的な価値のあるものであれば制限はなく、具体的には金銭、社債、新株予約権、新株予約権付社債、現物、親会社・子会社・関連会社株式などが対価となりうる。

　よって、**ア**が正解である。

第6問

　株式会社の機関設計について問う問題である。

設問1 ●●●

　会社法の下での株式会社の機関設計のルール（以下、本問で「ルール」という。）は、次のとおりである。

１．すべての株式会社は株主総会と取締役を設置しなければならない（会社法第295条、326条１項）。

２．取締役会を設置する場合には、監査役（または監査役会）、監査等委員会、３委員会等（指名・監査・報酬の各委員会＋執行役）のいずれかを設置しなければ

ならない（会社法第327条2項本文、328条1項）。ただし、大会社以外の株式譲渡制限会社が会計参与を設置する場合には、この限りではない（会社法第327条2項ただし書）。

3. 公開会社は、取締役会を設置しなければならない（会社法第327条1項1号）。

4. 監査役（または監査役会）、監査等委員会、3委員会等は、ともに設置することができない（会社法第327条4項）。

5. 取締役会を設置しない場合には、監査役会、監査等委員会、3委員会等を設置することができない（会社法第327条1項2号ないし4号）。

6. 会計監査人を設置するには、監査役（または監査役会）、監査等委員会、3委員会等（大会社かつ公開会社にあっては監査役会、監査等委員会、3委員会等）のいずれかを設置しなければならない（会社法第327条3項、5項）。

7. 会計監査人を設置しない場合には、監査等委員会、3委員会等を設置することができない（会社法第327条5項）。

8. 大会社には会計監査人を設置しなければならない（会社法第328条）。

9. 3委員会等を設置する場合には、監査等委員会を設置することはできない（会社法第327条6項）。

本問のX社は、会社法上の大会社ではなく、かつ公開会社ではないことから、取締役会を設置するかどうかは自由に決定できる（ルール3）。そして、取締役会を設置する場合、その構成員である取締役の適格や、員数が問題となる。

ア ✕：取締役は株式会社と委任契約で結ばれ、株式会社の運営の意思決定にかかわる地位にある。そこで、取締役に就任しえない者（欠格事由）が規定されている（会社法第331条1項）。すなわち、①法人、②成年被後見人、被保佐人、③会社法、金融商品取引法、民事再生法、会社更生法、破産法等により処罰された者は、取締役となれない。したがって、法人でも取締役に就任できるとする本肢の記述は不適切である。なお、令和3年3月1日施行の改正会社法により、上記のうち②については、条件付で、取締役（および監査役）に就任することができるようになった。

イ ✕：取締役会は合議体であるから、多数決で意思決定を行う。そのため、取締役の員数は最低限3人必要となる（会社法第331条5項）。取締役の員数が2人の場合、取締役会を設置することができない。

ウ ◯：正しい。選択肢イの解説のとおり、取締役会設置会社の取締役の員数は、3人以上必要となる。

エ ✕：選択肢イの解説のとおり、本問のX社における取締役の員数は3人で足りる。また、X社は、監査等委員会設置会社および指名委員会等設置会社ではない

ため、社外取締役の設置も義務づけられない。監査等委員会設置会社の監査等委員会、指名委員会等設置会社の3委員会を構成する取締役の過半数は社外取締役でなければならない（会社法第331条6項、400条3項）が、本問のX社は、これらに該当しない。

よって、**ウ**が正解である。

設問2 ● ● ●

X社は、取締役会設置会社であることを選択し、大会社ではなく、会計参与や会計監査人は設置しない株式譲渡制限会社である。すると、X社は監査等委員会設置会社および指名委員会等設置会社足りえず（ルール7）、監査役（監査役会を含む）の設置が義務づけられることになる（ルール2、4）。

ア　○：正しい。株式譲渡制限会社であって、監査役会設置会社および会計監査人設置会社のいずれでもない場合には、定款の定めにより、監査役の権限を会計監査に関する事項に限定することができる（会社法第389条1項）。したがって、X社が監査役会を置かない場合には、監査役の監査権限を会計監査に限定することができる。

イ　✕：監査役会は、監査役からなる合議体であり、その最低員数は3人必要であり、その半数以上は社外監査役でなければならない（会社法第335条3項）。したがって、X社が監査役会を設置する場合には、少なくとも2名の社外監査役を置くことが必要である。

ウ　✕：取締役会を設置した場合、監査機関（監査役、監査等委員会または監査委員会のいずれか）を置くことが必要となる（ルール2、4、5）。しかし、会計監査人を設置していない場合には、監査等委員会あるいは監査委員会を置くことはできない（ルール7）。X社は会計監査人を設置しないので、監査役の代わりに、指名委員会等設置会社にして監査委員を置いたり、監査等委員会設置会社にして監査等委員を置いたりすることはできない。

エ　✕：取締役会を設置した場合、監査役の設置が義務づけられる（ルール2本文）。例外として大会社（より厳密には、会計監査人設置会社）ではない株式譲渡制限会社が会計参与を設置した場合には、監査役の設置が義務づけられない（ルール2のただし書）。本問のX社は、大会社ではない株式譲渡制限会社であるが、会計参与は設置しないこととしており、監査役を設置しないことはできない。

よって、**ア**が正解である。

　自己株式について問う問題である。自己株式とは、株式会社が有する自己の株式（会社法第113条4項）をいい、さまざまな規制に服する。

ア　✕：株式会社は、その保有する自己株式については、議決権を有しない（会社法第308条2項）。株式会社が自己株式について議決権を行使できるとすると、決議の公正を害するからである。同様に、株式会社はその他の共益権、監督是正権も行使しえないと解されている。株式会社自身が、自らに対する監督是正権等を行使するのは、これらの権利の趣旨からして背理だからである。

イ　✕：株式会社は、その保有する自己株式については、剰余金配当請求権を有しない（会社法第453条括弧書）。自己株式に対して剰余金の配当ができるとすれば、自己株式に対する配当金額は次年度の収益として計上され、現実には収益が増加していないのに増加したとの計算書類が作成されてしまうおそれがある。これは、収益力の正確な公示という会社法の計算規定の趣旨に反するからである。

ウ　✕：株式会社は、その保有する自己株式については、新株予約権の無償割当てをすることができない（会社法第278条2項）。同様に、自己株式に対して募集株式の割当て（会社法第202条2項）、新株予約権の割当て（会社法第241条2項）、株式の無償割当て（会社法第186条2項）をすることもできない。

エ　○：正しい。株式会社は、その保有する自己株式をいつでも消却することができる。その手続は、消却する自己株式の数（種類株式発行会社にあっては自己株式の種類及び種類ごとの数）を定めなければならず（会社法第178条1項）、取締役会設置会社においては、取締役会決議によらなければならない（同条第2項）。本問では監査役会が置かれており、取締役会設置会社であることが前提とされている。また、種類株式発行会社ではなく、定款に自己株式にかかる特段の定めも置かれていないため、自己株式の消却を行う場合には、取締役会決議によって、消却する自己株式の数を定めなければならない。

　よって、**エ**が正解である。

　産業財産権各法について、横断的理解を問う問題である。

ア　✕：国内優先権制度とは、ある発明や考案について出願した後、その改良である発明や考案がなされた場合に、すでに出願した内容に改良した内容を取り込んで、すでにした出願日が優先日と認められた上で、一括して特許権や実用新案権が認められるという制度である（特許法第41条）。後出の第10問のパリ条約に基づく国際出願における優先権と区別するために「国内優先権」とよばれる。国内優先権制度

の対象となる権利は、特許権および実用新案権であり、意匠権および商標権には国内優先権制度は存在しない。

イ ○：正しい。出願公開制度は、特許法および商標法に存在する制度である。特許法では、出願日から1年6月経過すると、特許出願の内容は特許公報に掲載されることにより、公開される（特許法第64条。なお、出願人の請求により、1年6月経過前であっても、出願公開をすることが認められる）。商標法では、特許法と同様、出願公開制度があり、出願があったときに商標公報に出願内容が公開される（商標法第12条の2）。これに対し、実用新案法と意匠法では、出願公開制度は規定されておらず、存在しない。

ウ ✕：産業財産権4法では、各権利は、存続期間の満了によって消滅するのが原則である。しかし、商標法では、商標権の更新申請を行って更新登録を受ければ、何回でも更新することが認められている（商標法第20条）。更新制度は、商標法には存在するが、特許法、意匠法および実用新案法には存在しない。

エ ✕：訂正審判制度とは、特許権者が、特許権設定後に明細書、特許請求の範囲または図面に記載された事項の訂正を請求する制度である（特許法第126条）。たとえば、特許請求の範囲の一部に公知技術が含まれていた場合に、これを含む特許権の全部を無効とすると、特許権の保護に欠けることになる。そこで、第三者に不測の不利益を与えない限度で、無効部分の減縮など訂正を審判手続によって許すのが訂正審判制度である。実用新案法にも、同様の訂正制度がある（実用新案法第14条の2）。訂正審判制度は、特許法および実用新案法には存在するが、意匠法及び商標法には存在しない。

よって、**イ**が正解である。

第9問

著作権法に定める職務著作について問う問題である。

法人その他使用者（以下この条において「法人等」という。）の発意に基づきその法人等の業務に従事する者が職務上作成する著作物で、その法人等が自己の著作の名義の下に公表するものの著作者は、その作成の時における契約、勤務規則その他に別段の定めがない限り、その法人等とする（著作権法第15条1項。なお、プログラムの著作物は、公表者名を問わない。同条2項）。これは、事業活動において、企業等の法人が著作者となることを認めた規定で、法人等には、著作者としての権利が帰属する。

本問での「ガリガリザウルス」の絵柄の著作が、職務著作に該当する場合、C株式会社と絵柄を作成した従業員との間に、契約、勤務規則その他に特段の定めがない場

合には、著作権法第15条１項により、著作者は「使用者である会社」（＝空欄A）となる。

また、職務著作に該当する場合、著作者に認められる著作財産権および著作者人格権は、著作者である法人等に帰属する。そこで、権利については、「著作者人格権と著作権の両方を会社が有する」（＝空欄B）ことになる。

よって、**ウ**が正解である。

「工業所有権の保護に関するパリ条約」に規定する優先権の期間について問う問題である。

パリ条約は、産業財産権全般の基本的条約として1883年に成立した。同条約は、①内国民待遇の原則、②優先権制度、③相互独立の原則などを基本的考え方とする。

１．内国民待遇の原則

　パリ条約第２条に定められており、「この条約で特に定める権利を害されることなく、他の全ての同盟国において、当該他の同盟国の法令が内国民に対し現在与えており、または将来与えることがある利益を享受する。」というものである。

２．優先権制度

　産業財産権について、加盟国（第１国）に正規の出願をした者が、一定期間内に、別の同盟国（第２国）に同一の出願をした場合には、第１国での出願の時を基準として優先権を認める仕組みである。たとえば、日本国（同盟国）で特許または実用新案の出願をした場合、アメリカ（同盟国）やドイツ（同盟国）で12か月以内（意匠や商標の場合には６か月以内）に同一の出願をし、パリ条約による優先権主張をすれば、先願の有無などについては、日本国での出願時を基準に判断されることになる。

　パリ条約では、各国で別々に出願手続をすることが必要であり、このような国際出願を、パリ条約ルートとよぶ。パリ条約の下では、産業財産権は属地主義のため、各国の知的財産権法の定める条件に従わなければならず、出願は各国別であり、登録費用も国ごとに必要となる。そこで、これらの不都合を解消するため、個別に各種の国際条約による取決めが重ねられるようになった。

　このように、パリ条約においては、**特許権および実用新案権に認められる優先権は12か月**であり、**意匠権および商標権に認められる優先権は６か月**である。

３．相互独立の原則

　同盟国が付与した特許権等は独立のものであって、他の国（注：同盟国に限られない）における無効化を根拠として無効化されることはない。たとえば、同一の発

明で日本と米国で特許を取得した場合において、米国で当該特許が無効とされたとしても、それをもって日本国の特許が無効となるわけではない。

よって、**ウ**が正解である。

第11問

不正競争防止法による商品等表示にかかる不正競争（周知表示混同惹起行為）と、商標法による商標権の保護について問う問題である。

まず、空欄Aは、不正競争防止法第2条1項1号に規定する商品等表示であることが明記されている。不正競争防止法第2条1項1号は「他人の商品等表示（人の業務に係る氏名、商号、商標、標章、商品の容器もしくは包装その他の商品または営業を表示するものをいう。以下同じ。）として需要者の間に広く認識されているものと同一もしくは類似の商品等表示を使用し、またはその商品等表示を使用した商品を譲渡し、引き渡し、譲渡もしくは引渡しのために展示し、輸出し、輸入し、もしくは電気通信回線を通じて提供して、他人の商品または営業と混同を生じさせる行為」であり、いわゆる周知表示混同惹起行為である。すると、「御社商標が需要者の間に広く認識されていること、及び御社商標と同一若しくは類似の商標を付した相手商品が御社商品と混同を生じさせること」（＝空欄A）を自ら立証しなければなりません、という文章となる。なお、条文上の「（需要者の間に）広く認識（されている）」とは、「周知性（を有すること）」を意味する。

これに対し、著名表示冒用行為は、同法第2条1項2号に規定されている。ただし、不正競争防止法の商品等表示の不正競争行為類型の定義について、規定の号数の違いを知らなかったとしても、本問のD株式会社の商標「トルネード」の付された作業服は、大ヒットはしているものの、この春に発売したばかりだというのであるから、全国的な知名度（著名性）を獲得しているのかは疑問が残る。周知表示の段階であると認定するのが素直であろう。

次に、商標権侵害とされるためには、「同一または類似」の商標の使用と認められれば、権利侵害になる（商標法第37条）。需要者に混同を生じさせることは要件とされない（現実的には想定しにくいが、仮に需要者に混同を生じさせる場合であっても、商標が非類似であれば、商標権侵害とならない）。「トルネード」と「トーネード」は同一ではないが、「類似する」（＝空欄B）と認められれば商標権侵害となる。

よって、**イ**が正解である。

第12問

実用新案法と特許法の比較を問う問題である。

ア ○：正しい。権利侵害に基づく権利行使をする場合、実用新案権は、特許庁による実用新案技術評価書を提示して警告した後でなければ、差止請求や損害賠償請求等をすることができない（実用新案法第29条の２）。実用新案権は、無審査主義で登録されるため、その権利の有効性についての実体審査が行われない。そのため、権利者のみならず、第三者も当該考案の有効性が判断できない。そこで、当該考案の客観的な評価として用いられるのが実用新案技術評価書である。これに対し、実体審査による特許要件の有効性判断がされている特許権では、権利行使についてこのような制約はない。

イ ○：正しい。実用新案権の存続期間は出願日から10年（実用新案法第15条）、特許権の存続期間は出願日から20年（特許法第67条）である。なお、一定の場合、特許権は延長することが認められるが、本問は存続期間の延長を考慮しないものとなっている。

ウ ✕：実用新案登録出願がなされると、方式審査と基礎的要件の審査が行われるだけで、特許と異なり、実体審査は行われない無審査主義が採用されている。そこで、本肢の記述の前段は不適切であり、**実用新案権について、実体審査がされることはない**。なお、特許出願は、出願日から３年以内に審査請求を行わないと実体審査が開始されない（特許法第48条の３）との後段の記述は正しい。

エ ○：正しい。実用新案法における考案は、そもそも「物品の形状、構造または組合わせ」にかかるものに限定される（実用新案法第１条）。これに対し、特許法における発明は、①物の発明、②物を生産する方法の発明、③物の生産を伴わない方法の発明がある（特許法第２条）。そこで、物品の形状に関する考案および発明は、実用新案法および特許法で保護されるが、方法の考案は実用新案法では保護されず、方法の発明は特許法で保護される。

よって、**ウ**が正解である。

第13問

特許権侵害の主張に対する対抗策について問う問題である。

本問で述べられているように、ライバル他社（者）から特許権侵害であるとの警告を受けた場合、対抗策としては、①相手方の有する特許の技術的範囲に属していないと反論する、②相手方の特許権に対抗する正当権原（注：問題文は「権限」であるが、法的には「権原」が正しい）があることを主張する、③相手の特許権自体を無効にする、④対抗することが難しい場合はライセンス交渉や設計変更を考える、といった選択肢がある。

空欄Aは、②の正当権原のひとつである先使用権について述べている。先使用権は、

「特許出願に係る発明の内容を知らないで自らその発明をし、または特許出願に係る発明の内容を知らないでその発明をした者から知得して、特許出願の際現に日本国内においてその発明の実施である事業をしている者またはその事業の準備をしている者は、その実施または準備をしている発明および事業の目的の範囲内において、その特許出願に係る特許権について通常実施権を有する。」（特許法第79条）と規定され、公平の観点から、先使用者に法定の無償の通常実施権が認められる制度である。先使用権は、特許権侵害の主張に対する有効な抗弁となる。この権利を主張するためには、E株式会社が、相手方F社の「特許の出願」（＝空欄A）の際、現に、日本国内においてその発明の実施である事業またはその事業の準備をしている必要がある。そこで、空欄Aには、「特許の出願」が入る。

　空欄Bは、③の相手方の特許を無効とする場合を述べている。特許には、要件として新規性が求められる。発明が新規性を有するとは、発明がいまだ社会に知られていないことをいい、既に「公然の実施」（＝空欄B）がなされていた発明（＝公用発明）は、新規性を欠くものとして、特許されない（特許法29条1項2号）。E株式会社の発明が公用発明と認められれば、相手方F社の特許権は、新規性を欠いていたものとして無効とすることができる。そこで、空欄Bには「公然の実施に当たる」が入る。

　よって、**ア**が正解である。

第14問

　不正競争防止法の知識を問う問題である。

ア　×：不正競争防止法第2条1項3号は、「他人の商品の形態（当該商品の機能を確保するために不可欠な形態を除く。）を模倣した商品を譲渡し、貸し渡し、譲渡もしくは貸渡しのために展示し、輸出し、または輸入する行為」を不正競争行為として禁止し、独自の商品を開発した先行企業の市場における先行利益を保護している。ただし、この商品形態模倣行為に関する保護は、日本国内において最初に販売された日から起算して3年に限定される（不正競争防止法第19条1項5号イ）。本肢は、保護期間を5年としている点が不適切である。

イ　○：正しい。不正競争防止法第2条1項4号乃至10号で規定される営業秘密とは、「秘密として管理されている生産方法、販売方法その他の事業活動に有用な技術上または営業上の情報であって、公然と知られていないものをいう。」と定義される（不正競争防止法第2条6項）。このように、営業秘密には、営業上の情報のみならず、技術上の情報を含む。

ウ　×：営業秘密として保護される要件は、①秘密管理性、②有用性、③非公知性の3つである。「創作性」は要件ではない。

エ ✕：不正競争防止法第2条1項11号乃至16号で保護される限定提供データは、「業として特定の者に提供する情報として電磁的方法（電子的方法、磁気的方法その他人の知覚によっては認識することができない方法をいう。）により相当量蓄積され、および管理されている技術上または営業上の情報（営業秘密を除く。）をいう。」と定義される（不正競争防止法第2条7項）。限定提供データの保護は、ID、パスワード等の技術的な管理を施して提供されるデータを不正に取得・使用等する行為が、令和元年7月1日施行の改正不正競争防止法によって新たに不正競争行為として創設されたものである。その要件として、①限定提供性、②電磁的管理性、③相当蓄積性が必要であり、事業者が秘密として管理する営業秘密とは明らかに性質が異なる。そのため、限定提供データには「営業秘密を除く。」として、明文で営業秘密とは区別されており、営業秘密が限定提供データになることはない。

よって、**イ**が正解である。

第15問

著作権を自由利用できる場合として、「著作物の引用」の知識を問う問題である。

ア ◯：正しい。他人の著作物は、一定の要件の下に、他者が自分の著作物の中に挿入して使用することができ、これを引用という。著作権法第32条1項は、「公表された著作物は、引用して利用することができる。この場合において、その引用は、公正な慣行に合致するものであり、かつ、報道、批評、研究その他の引用の目的上正当な範囲内で行われるものでなければならない。」と規定している。引用することができる著作物を翻訳して、引用して利用することも認められる（著作権法第47条の6第1項3号）。

イ ✕：引用が認められる要件として、引用される著作物は、公表された著作物であることが必要である。公表されていない著作物の利用は、許される引用に該当せず、著作権侵害となる。

ウ ✕：引用が認められる要件として、引用は公正な慣行に合致しなければならない。引用の事実を明らかにしない場合は公正とはいえず、複製の態様に応じ、合理的と認められる方法および程度により、出所（原典）を明示しなければ、許される引用に該当しない。

エ ✕：引用が認められる要件として、引用は報道、批評、研究その他の引用の目的上、正当な範囲でなければならない。これらの目的に照らして、正当な範囲を超えて著作物を利用することは、許される引用に該当しない。

よって、**ア**が正解である。

　国際取引における売買契約について、（設問1）は当事者の訴訟提起期間の制限条項の内容を、（設問2）は準拠法の知識を問う問題である。

＜本契約書の該当条項の和訳＞

「いかなる場合でも、商品に関する契約条項違反に対する売主の責任は、本契約書に記載されている商品の購入価格を超えない。買主が、売主の契約違反に対して訴訟を提起するには、商品の納入から2週間以内にされなければならない。」

設問1 ● ● ●

　上記の契約条項は、売主の責任は商品の購入価格を上限としていたり、買主の提訴期間を2週間と短期にしたりしている点で、買主にとって不利益な内容となっている。そこで、「あなた」の第1発言「この規定は、御社（＝株式会社P）にとって、不利益な条項～」から、株式会社Pは、この売買契約における「買主」（＝空欄A）であることがわかる。ここで、正解は、選択肢**ウ・エ**のいずれかに絞られる。

　次に、空欄Bは、売主の責任が入るが、売主の賠償の上限は、「商品の購入価格」とされているので、「現実に生じた損害」に限定されているわけではない。すると、買主に不利益な内容として、「売主の契約違反に対する訴訟提起の期間が短い」（＝空欄B）が入るのが適切である。冒頭で述べたとおり、本条項では、訴訟提起期間が「商品の納入から2週間以内（＝within two weeks after the Goods are delivered）」に限定されている。なお、「action」は訴訟を意味する。

　よって、**ウ**が正解である。

設問2 ● ● ●

　甲氏の第2発言で述べられている条項の内容は、「本契約は、　C　を準拠法とし、これに従って解釈される。」というものである。裁判管轄については何も触れていない。そこで、空欄Dには、「準拠法」が入る。ここで、正解は、選択肢**ウ・エ**のいずれかに絞られる。準拠法（「Governing law」という）は、裁判管轄が決まれば、必然的に決まるものではなく、法廷地の国際私法（わが国では、「法の適用に関する通則法」）の定めによる。当事者は、任意に準拠法を合意することができるが、法的紛争に発展する場合に備えるならば、準拠法は、「内容を容易に知り理解できる国の法律が望ましいです」（＝空欄E）といえる。

　よって、**エ**が正解である。

　民法、物権編の相隣関係の知識を問う難問である。

　土地所有権は、隣接する土地どうしの一方の利用が、他方の土地利用に影響を及ぼす関係に立つことが多い。共同生活を円満に維持するためには、土地所有権どうしに一定の利用上の制限を課することが必要とされる場合があり、民法は、これを「相隣関係」として、隣接する土地所有権について調整する詳細な規定を置いている。なお、土地上の建築物については建築基準法が適用されるが、本問では考慮する必要がなく、建築制限について優先して適用される別段の慣習（民法第236条）はないとされることから、相隣関係の規定がそのまま適用される。

ア　✕：導水管を埋め、または溝若しくは堀を掘るには、境界線からその深さの2分の1以上の距離を保たなければならない。ただし、1メートルを超えることを要しない（民法第237条2項）。導水管や溝を設ける場合には、埋設位置や溝の深さの2分の1の距離を置けばよく、同一以上の距離を保つことまでは必要ではない。

イ　✕：分割によって公道に通じない土地が生じたときは、その土地の所有者は、公道に至るため、他の分割者の所有地のみを通行することができる。この場合においては、償金を支払うことを要しない（民法第213条1項）。土地の分割によって、公道に通じない土地（袋地）が生じた場合には、分割に無関係な第三者所有の囲繞地に通行を受忍する負担をかけるべきではない、ということである。これに対し、分割によらず、一般に公道に通じない袋地がある場合には、「他の土地に囲まれて公道に通じない土地の所有者は、公道に至るため、その土地を囲んでいる他の土地を通行することができる。」（民法第210条1項）、とされる。そして、「前条の場合には、通行の場所および方法は、同条の規定による通行権を有する者のために必要であり、かつ、他の土地のために損害が最も少ないものを選ばなければならない。」（民法第211条1項）とされ、さらに、「第210条の規定による通行権を有する者は、その通行する他の土地の損害に対して償金を支払わなければならない。」（民法第212条本文）として、分割によらない場合の一般の囲繞地通行権および償金の支払義務が規定されている。本肢は「分割によって公道に通じない土地が生じたとき」であるため、必ずしも損害が最も少ない場所を通行しなければならないわけではない。

ウ　✕：建物の築造位置については、「建物を築造するには、境界線から50センチメートル以上の距離を保たなければならない。」（民法第234条1項）との規定があり、屋根からの雨水については、「土地の所有者は、**直接に雨水を隣地に注ぐ構造の屋根その他の工作物を設けてはならない。**」（民法第218条）との規定がある。民法第234条1項の50センチメートルの距離制限は、土地境界線から建物の外壁までの距離と解されており、屋根の越境についての明文は存在しない。しかし、直接に雨水

を隣地に注ぐ構造の屋根を設けることは、明らかに民法第218条に反し、違法である。

エ　○：正しい。「隣地の竹木の枝が境界線を越えるときは、その竹木の所有者に、その枝を切除させることができる。」（民法第233条１項）、「隣地の竹木の根が境界線を越えるときは、その根を切り取ることができる。」（同条４項）との規定が置かれている。隣地の竹木の「枝」が越境した場合には、その竹木の所有者に切除を請求できるが、越境された者が自ら切除することはできない。しかし、（竹木の）「根」が越境した場合には、越境された者は自らその根を切除することが許される。

よって、**エ**が正解である。

第18問

令和２年４月１日施行の改正民法の定める時効の改正点について、知識を問う問題である。

ア　×：改正前の民法では、「旅館、料理店、飲食店、貸席または娯楽場の宿泊料、飲食料、席料、入場料、消費物の代価または立替金に係る債権」（改正前民法第174条４号）は、１年間行使しないときは、時効によって消滅するとされていた。改正により、これらの短期消滅時効の類型はすべて削除されたので、改正後は、一般の債権と同じ消滅時効期間（主観的起算点から５年、客観的起算点から10年等）が適用される（民法第166条１項１、２号）。

イ　○：正しい。時効がまだ完成していない段階で、一定の行為があれば、時効期間の完成が猶予されることがある。時効の完成猶予事由として、(1)裁判上の請求、(2)催告、(3)協議を行う旨の合意などがある。このうち、(3)の協議を行う旨の合意による時効の完成猶予については、「権利についての協議を行う旨の合意が書面でされたときは、次に掲げる時のいずれか早い時までの間は、時効は、完成しない。①その合意があった時から１年を経過した時、②その合意において当事者が協議を行う期間（１年に満たないものに限る。）を定めたときは、その期間を経過した時、③当事者の一方から相手方に対して協議の続行を拒絶する旨の通知が書面でされたときは、その通知の時から６か月を経過した時」と規定されている（民法第151条１項）。そして、催告による時効完成猶予と重複する場合の処理については、「催告によって時効の完成が猶予されている間にされた第１項の合意は、同項の規定による時効の完成猶予の効力を有しない。同項の規定により時効の完成が猶予されている間にされた催告についても、同様とする。」（民法第151条３項）と定められており、「催告」と「協議を行う旨の合意」は、いずれかの完成猶予の効力しか認められない。

ウ　×：債権は、次に掲げる場合には、時効によって消滅する。①債権者が権利を行使することができることを知った時から５年間行使しないとき。②権利を行使する

214

ことができる時から10年間行使しないとき（民法第166条１項１、２号）。①を主観的起算点、②を客観的起算点という。そこで、本肢が主観的起算点にかかる消滅時効期間を10年間としているのは不適切である。

エ ✕：時効の期間の満了の時に当たり、天災その他避けることのできない事変のため第147条１項各号（裁判上の請求等）または第148条１項各号（強制執行や担保権の実行等）に掲げる事由に係る手続を行うことができないときは、その障害が消滅した時から３か月を経過するまでの間は、時効は、完成しない（民法第161条）。いわゆる裁判上の請求（訴訟提起など）や担保権の実行など、裁判所における手続を要する時効の完成猶予措置は、天災事変の場合に行うことは困難である。そこで、障害が消滅した時から、３か月の間は、時効の完成が猶予される。本肢の記述のように、「２週間」ではない。改正民法により、従来の「２週間」から「３か月」に伸長された。

よって、**イ**が正解である。

第19問

民法の詐害行為取消権の知識を問う問題である。

ア ✕：詐害行為取消権とは、債権者が、債務者が債権者を害するためにした行為の取消しを裁判所に請求することができる権利である（民法第424条１項）。詐害行為取消権が認められるためには、被保全債権が存在することと、その発生原因（＝被保全債権の発生原因）が詐害行為前に生じたものであることが要件とされる（同条３項）。この場合、被保全債権の発生原因が詐害行為の前にあるなら、被保全債権自体が詐害行為の後に発生したものであっても、詐害行為取消請求ができる。

イ ✕：詐害行為取消権は、詐害行為によって債務者の下から逸出した財産の原状回復を目的としている。したがって、現物の返還が可能である場合には、受益者または転得者から、その物を返還させるのが原則となる。これについては、「債権者は、受益者に対する詐害行為取消請求において、債務者がした行為の取消しとともに、その行為によって受益者に移転した財産の返還を請求することができる。受益者がその財産の返還をすることが困難であるときは、債権者は、その価額の償還を請求することができる。」（民法第424条の６第１項）と規定され、現物返還の原則と、例外として、現物返還が困難な場合の価額賠償の制度が明文で規定されている。転得者に対する場合も、同様である（同条２項）。

ウ ✕：債務者が、不動産を処分した場合であっても、時価相当の対価を得たならば、その処分の前後で債務者の財産状態に変化はなく、原則として、このような相当価格処分行為は詐害行為にならない（債権者は、債務者が得た「時価相当の対価」か

ら債権を回収できるため。民法第424条の2）。ただし、例外的に、①その行為が、不動産の金銭への換価その他の当該処分による財産の種類の変更により、債務者において隠匿、無償の供与その他の債権者を害することとなる処分をするおそれを現に生じさせるものであること、②債務者が、その行為の当時、対価として取得した金銭その他の財産について、隠匿等の処分をする意思を有していたこと、③受益者が、その行為の当時、債務者が隠匿等の処分をする意思を有していたことを知っていたこと。これら3つの要件を満たした場合には、相当価格処分行為も詐害行為となる。つまり、時価相当の対価を取得した場合であっても、債権者による詐害行為取消請求が認められることがある。

エ ○：正しい。債権者は、詐害行為取消請求をする場合において、債務者がした行為の目的が可分であるときは、自己の債権の額の限度においてのみ、その行為の取消しを請求することができる（民法第424条の8）。詐害行為取消権の目的は、債権者の債権の保全であるから、詐害行為の客体が可分であるときは、債権額の上限まで取消権を行使できれば債権者の債権の保全として十分だからである。

よって、**エ**が正解である。

<詐害行為取消権の例>

　　債務超過に陥った請負業者（債務者）が、自己が所有する建物を配偶者に無償で譲渡（贈与）し、所有権移転登記をした場合に、請負業者に融資している銀行（債権者）は、贈与契約の取消しと所有権移転登記の抹消を裁判所に請求（＝詐害行為取消請求）することができる。この場合、銀行（債権者）が請負業者（債務者）に対して有している貸金債権が「被保全債権」となる。また、請負業者（債務者）から建物を譲渡された配偶者が「受益者」となる。仮に、その建物を配偶者から譲渡された者がいた場合、その者は「転得者」となる。

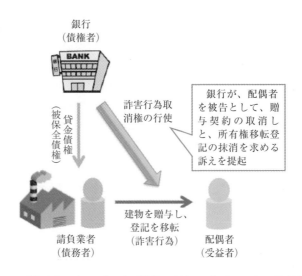

（法務省民事局『民法（債権関係）の改正に関する説明資料』p.47）

第20問

令和2年4月1日施行の改正民法によって創設された「事業に係る債務についての保証契約の特則」について問う問題である。

ア　○：正しい。事業のために負担した貸金等債務を主たる債務とする保証契約又は主たる債務の範囲に事業のために負担する貸金等債務が含まれる根保証契約は、その契約の締結に先立ち、その締結の日前1か月以内に作成された公正証書で保証人になろうとする者が保証債務を履行する意思を表示していなければ、その効力を生じない（民法第465条の6第1項）。このように、事業用の貸金等保証契約を締結する場合、原則として、保証人になろうとする者は、公正証書により保証意思を表示する必要がある。この例外として、保証人が法人である場合（同条3項）や、個人事業主が主債務者であって、主債務者たる個人事業主と共同して事業を行う者または主債務者が行う事業に現に従事している主たる債務者の配偶者は、公正証書による保証意思を表示しなければならない者には含まれず、適用除外となる（民法第465条の9第3号）。これに対し、本肢では、「個人事業主の配偶者であって、当該事業に現に従事していない者」が保証人になろうとする場合であるから、原則どおり、公正証書による保証意思の表示が必要である。

イ　✕：事業用の貸金等債務について自然人が保証人となる場合、選択肢**ア**のとおり、原則として、その契約締結の日前1か月以内に公正証書で保証債務を履行する意思

を表示していなければ、保証契約はその効力を生じない（民法第465条の6第1項）。本肢の記述のように「14日」ではない。

ウ ✗：事業用の貸金等債務について、「主たる債務者が法人である場合のその理事、取締役、執行役またはこれらに準ずる者」には、民法第456条の6は適用されない（民法第465条の9第1号）。したがって、取締役が保証人となろうとする場合、保証債務を履行する意思を公正証書により表示する必要はない。

エ ✗：事業用の貸金等債務の保証人の保護は、自然人（個人）が対象であり、法人が保証人になろうとする場合には、適用されない（民法第465条の6第3項）。もっとも、そもそも保証人が個人であるか法人であるかを問わず、すべての保証契約は書面（または電磁的記録）でされない限り無効となる（民法第446条2項）。

よって、**ア**が正解である。

第21問

令和2年4月1日施行の改正民法によって創設された定型約款について問う問題である。

設問1 ●●●

現代社会では、約款を利用して契約が締結される場合が少なくない。創設された定型約款について、民法第548条の2及び第548条の3は、次のとおり規定している。

＜民法第548条の2＞

1 定型取引（ある特定の者が不特定多数の者を相手方として行う取引であって、その内容の全部または一部が画一的であることがその双方にとって合理的なものをいう。以下同じ。）を行うことの合意（次条において「定型取引合意」という。）をした者は、次に掲げる場合には、定型約款（定型取引において、契約の内容とすることを目的としてその特定の者により準備された条項の総体をいう。以下同じ。）の個別の条項についても合意をしたものとみなす。

一 定型約款を契約の内容とする旨の合意をしたとき。

二 定型約款を準備した者（以下「定型約款準備者」という。）があらかじめその定型約款を契約の内容とする旨を相手方に表示していたとき。

2 前項の規定にかかわらず、同項の条項のうち、相手方の権利を制限し、または相手方の義務を加重する条項であって、その定型取引の態様およびその実情ならびに取引上の社会通念に照らして第1条第2項に規定する基本原則に反して相手方の利益を一方的に害すると認められるものについては、合意をしなか

ったものとみなす。

<民法第548条の3>

　1　定型取引を行い、または行おうとする定型約款準備者は、定型取引合意の前または定型取引合意の後相当の期間内に相手方から請求があった場合には、遅滞なく、相当な方法でその定型約款の内容を示さなければならない。ただし、定型約款準備者が既に相手方に対して定型約款を記載した書面を交付し、またはこれを記録した電磁的記録を提供していたときは、この限りでない。

　2　定型約款準備者が**定型取引合意の前**において前項の請求を拒んだときは、前条の規定は、適用しない。ただし、一時的な通信障害が発生した場合その他正当な事由がある場合は、この限りでない。

　このように、民法は、現代社会における定型取引と定型約款による契約の実態と有用性を認めた上で、その内容を規律している。

　本問の株式会社Zのインターネットを利用した新しいサービスに関するルールは、定型約款に該当する。この場合、定型約款をサービス利用者との合意内容とするためには、サービス利用者の利益を一方的に害するような内容でないこと等を前提として（民法第548条の2第2項）、その定型取引を契約内容とする合意をした上で、株式会社Zが、「あらかじめその定型約款を契約の内容とする旨をサービス利用者に表示していれば足ります」（＝空欄A）（民法第548条の2第1項2号）ということになる。この場合、定型約款の内容について、個別の合意をすることまでは求められない。

　また、民法は、第548条の3において、定型約款の内容の表示を求めており、一時的な通信障害が発生した場合を除き、「定型取引を行うことの合意前においてサービス利用者から請求があった場合にその定型約款の内容を示さないと、定型約款は契約内容となりません」（＝空欄B）（民法第548条の3第2項）ということになる。この規定は、合意後に請求があった場合には適用されない。

　よって、**ア**が正解である。

設問2　●●●

　定型約款の変更については、民法第548条の4が次のように規定する。

<民法第548条の4>

　1　定型約款準備者は、次に掲げる場合には、定型約款の変更をすることにより、

変更後の定型約款の条項について合意があったものとみなし、個別に相手方と合意をすることなく契約の内容を変更することができる。

一　定型約款の変更が、相手方の一般の利益に適合するとき。

二　定型約款の変更が、契約をした目的に反せず、かつ、変更の必要性、変更後の内容の相当性、この条の規定により定型約款の変更をすることがある旨の定めの有無およびその内容その他の変更に係る事情に照らして合理的なものであるとき。

2　定型約款準備者は、前項の規定による定型約款の変更をするときは、その効力発生時期を定め、かつ、定型約款を変更する旨および変更後の定型約款の内容ならびにその効力発生時期をインターネットの利用その他の適切な方法により周知しなければならない。

3　第1項第2号の規定による定型約款の変更は、前項の効力発生時期が到来するまでに同項の規定による周知をしなければ、その効力を生じない。

4　第548条の2第2項の規定は、第1項の規定による定型約款の変更については、適用しない。

このように、民法は、定型約款の変更が必要となった場合に、定型約款の合理性（民法第548条の4第1項）と、変更後の定型約款の周知（民法第548条の4第2項）を要件として、個別の合意まで必要とすることなく、定型約款の変更による契約内容の変更を認めている。本問で、株式会社Zが定型約款の内容を変更しようとする場合には、効力発生時期が到来する前の周知（＝選択肢**イ**、**ウ**）を行えば（民法第548条の4第2項）、変更をすることができる。また、その変更内容は、サービス利用者の一般の利益に適合するとき（＝選択肢**エ**）、または合理性を有することが前提となる。

これに対し、「定型約款の中に、民法と異なる変更要件に係る特約を規定すれば、いかなる特約であっても、当該特約に従って自由に変更ができます」（＝選択肢**ア**）との記述は適切ではない。サービス利用者の一般の利益に適合しないときや、変更の合理性が認められない場合には、当該特約には効力が認められないこととなるからである。以上から、空欄Cには、選択肢**イ**、**ウ**、**エ**は入るが、**ア**の記述は不適切であり、入らない。

よって、**ア**が正解である。

第22問

請負または委任に関する知識を問う問題である。

ア　**○**：正しい。委任は、委任者と受任者の高度の信頼関係を基礎とする契約である。

220

そこで、受任者は、委任事務の処理について、原則として自分自身が実行しなければならない。民法は、「受任者は、委任者の許諾を得たとき、またはやむを得ない事由があるときでなければ、復受任者を選任することができない。」（民法第644条の2第1項）と、明文で規定している。なお、復受任者とは、たとえば、AがBに委任した法律行為を、さらにBがCに委任した場合におけるCを指す。

イ ✕：請負人が、品質に関して契約の内容に適合しない仕事の目的物を注文者に引き渡した場合、「注文者がその不適合を知った時から1年以内にその旨を請負人に通知しないときは、注文者は、その不適合を理由として、履行の追完の請求、報酬の減額の請求、損害賠償の請求および契約の解除をすることができない。」（民法第637条1項）。本肢は、注文者による請負人の担保責任の期間制限について、「引渡しを受けた時から1年」としている点が不適切である。

ウ ✕：民法による委任契約は、無償であることが原則である（民法第648条1項）。しかし、実際には特約により、報酬が約定されることが多いし（ただし、本問は特約を考慮しないものとなっている）、その場合には受任者には報酬請求権が認められる。受任者の報酬請求は、委任事務の処理後でないと請求できないのが原則であるが（同条2項）、委任者の責めに帰することができない事由によって委任事務を処理することができなくなった場合や、委任が履行の中途で終了したときは、受任者は、履行の割合に応じて委任者に対して報酬を請求することができる（同条3項）。不可抗力によって委任事務の履行をすることができなくなった場合も、**履行の割合に応じた報酬は請求することができる**。

エ ✕：不可抗力によって仕事の完成ができなくなった場合、既に履行された仕事の結果のうち、可分な部分の給付によって注文者が利益を受けるときは、その部分について仕事の完成があったとみなされる（民法第634条1号）。そこで、請負人は、**注文者が受ける利益の割合に応じて、報酬を請求することができる**。

よって、**ア**が正解である。

参考資料 出題傾向分析表

		R2	R3
序章	法律の分類		
第1章	民法に関する基礎知識	意思表示、法定利率 **1** 時効 **18**	
	債権・契約	貸金等根保証契約 **1** 債権の消滅時効 **18** 詐害行為取消権 **19** 事業に係る債務についての保証契約の特則 **20** 定型約款 **21** 請負、委任 **22**	消費貸借 **2** 債権譲渡等 **18** 解除 **19** 契約不適合責任 **20**
	物権		先取特権 **18**
	相続	限定承認 **4**	遺留分 **7**
	商行為		買主の検査・通知義務 **20**
第2章	事業の開始等に関する基礎知識		
	会社に関する基礎知識		
	株式会社	株式会社の設立 **2** 株主総会・取締役会議事録 **3** 取締役会の員数、会計監査限定監査役 **6** 自己株式 **7**	社債 **1** 取締役会と監査役会の比較 **6** 議決権制限株式、相続人等に対する売渡請求 **7**
	持分会社		
	組織再編等	合併 **5**	簡易合併 **3**
	会社法等に関するその他の知識		
第3章	株式上場（株式公開）等の知識		
	証券市場の種類		
	金融商品取引法に関する基礎知識		
第4章	倒産の概要		破産・民事再生 **4**

※出題領域の区分は、弊社「2025年度版　最速合格のためのスピードテキスト」に準拠したものです。
※表中の項目名とともに付されている白抜き数字は、本試験における問題番号となります。

R4	R5	R6
時効**18**		
債権の消滅時効等**18** 保証**19** 相殺**20**	相殺**21**	契約不適合責任**20** 売買契約（手付）**21** 不法行為**24**
	共有**20**	
相続割合**21** 相続**22**	遺留分、経営承継円滑化法**17**	
株式併合・株式分割 **1** 取締役・監査役の任期 **2** 株主提案権（議案数の上限）**3** 株式譲渡制限会社の特徴 **6** 設立 **6** 株主総会の決議要件 **7**	株主総会 **1** 取締役・監査役の選任・解任決議 **2** 取締役会 **3** 監査役 **4** 設立（発起人の資格等）**5**	監査等委員会設置会社 **1** 監査役および監査役会 **2** 少数株主権 **3** 剰余金配当 **4** 社債 **5** 定款の絶対的記載事項 **6** 株式併合・株式分割 **8**
株式会社と合同会社の比較 **4**		
事業譲渡と会社分割 **5**	事業譲渡と吸収合併 **6**	特別支配株主、事業譲渡 **7**
	民事再生手続 **8**	

225

		R2	R3
第5章	知的財産権		
	産業財産権	出願公開制度、存続期間の更新制度等 8 特許法と実用新案法の比較12 先使用権等13	意匠登録制度 9 特許法（出願手続等）10 発明の実施11 地域団体商標12 先使用権（商標法）13 産業財産権法15 専用実施権等16
	産業財産権の権利侵害に対する手段	商標権の侵害11 他者から警告を受けた場合の手段13	特許権等の侵害11
	産業財産権以外の知的財産権	職務著作 9 周知表示混同惹起行為11 不正競争防止法（営業秘密、限定提供データ等）14 著作物の引用15	不正競争防止法（商品等表示、営業秘密）8
	知的財産権に関するその他の知識	パリ条約10	PCT 14
第6章	独占禁止法		
	製造物責任法		
	消費者保護法制		景品表示法（過大な景品類の提供）5
	国際取引	英文契約（準拠法等）16	英文契約等17
その他	その他	民法の相隣関係17	

※出題領域の区分は、弊社「2025年度版　最速合格のためのスピードテキスト」に準拠したものです。
※表中の項目名とともに付されている白抜き数字は、本試験における問題番号となります。

参考資料

出題傾向分析表

227

中小企業診断士　2025年度版

最速合格のための第1次試験過去問題集　6　経営法務

（2005年度版　2005年3月15日　初版　第1刷発行）
2024年12月2日　初　版　第1刷発行

編　著　者	T　A　C　株　式　会　社
	（中小企業診断士講座）
発　行　者	多　　田　　敏　　男
発　行　所	T　A　C株式会社　出版事業部
	（TAC出版）

〒101-8383
東京都千代田区神田三崎町3-2-18
電話　03（5276）9492（営業）
FAX　03（5276）9674
https://shuppan.tac-school.co.jp

| 印　　　刷 | 株式会社　ワ　　コ　　ー |
| 製　　　本 | 株式会社　常　川　製　本 |

Ⓒ TAC 2024　　　Printed in Japan

ISBN 978-4-300-11420-9
N.D.C. 335

中小企業診断士講座のご案内

合格する人は使ってる。TACの

まずは、試験の概要を知る
（無料セミナー・ガイダンス）

中小企業診断士の魅力とその将来性や、試験概要を把握したうえでの効率的・効果的な学習法等を紹介します。ご自身の学習計画の参考として、ぜひご覧ください。

TAC 診断士 動画

https://www.tac-school.co.jp/kouza_chusho/tacchannel.html

試験問題を詳しく理解する
（本試験分析会）

試験を熟知したTAC講師陣が試験の出題傾向を分かり易く解説。受験生では把握しづらい試験のポイントを効率的に理解することができます。

TAC 診断士 分析

https://www.tac-school.co.jp/kouza_chusho/tacchannel.html

試験問題に挑戦してみる
（TAC動画チャンネル）

試験問題の出題の仕方や内容を知ったうえで学習することが効果的な学習へ繋がります。
TACの講師が前回の試験問題を分かり易く解説します。

TAC 診断士 挑戦

https://www.tac-school.co.jp/kouza_chusho/tacchannel.html

効果的な学習法を学ぶ
（TAC特別セミナー）

TACでは、どの時期にどのような学習をしなければいけないのかを丁寧に解説したセミナー・イベントをTACの校舎やWebで適時開催しています。

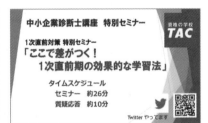

TAC 診断士 セミナー

https://www.tac-school.co.jp/kouza_chusho/tacchannel.html

サポートサービスを活用しよう!

モチベーションを高める
(将来の選択肢　〜合格者のその後〜)

将来、中小企業診断士に合格して何ができるのか?合格者のその後を取材した記事を読んで合格後の夢を広げてモチベーションを高めましょう!

TAC 診断士とは

https://www.tac-school.co.jp/kouza_chusho/chusho_sk_idx.html

TACのYoutube動画
(得する情報を提供中)

TACでは、Youtubeでも学習法や試験解説、実務家インタビュー等の動画を配信しています。是非、チャンネル登録してチェックしてみてください。

TAC 診断士 youtube

https://www.youtube.com/@tac3644/videos

TAC中小企業診断士講座「第1回目講義」オンライン無料体験!
各コースの「第1回目」の講義が体験できます!

「体験Web受講」では、既にご入会されている受講生と同じWeb学習環境(TAC WEB SCHOOL)にて講義をご視聴いただけます。サンプルテキストを用意していますので、講義とあわせて教材の内容も確認してみてください。

独学では理解しづらかったり
時間がかかる内容もポイントを押さえて
スムーズに理解できるから短期合格できる

TAC 診断士 体験

https://www.tac-school.co.jp/kouza_chusho/web_taiken_form.html

中小企業診断士講座のご案内

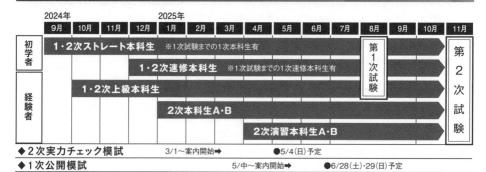

TAC中小企業診断士パンフレット

- ・ 戦略的カリキュラム
- ・ 学習メディア・
  フォロー制度
- ・ 開講コース・受講料
- ・ 無料体験入学の
  ご案内
  など

資格&試験ガイド

- ・ 中小企業診断士の魅力
- ・ 実務家インタビュー
- ・ 試験ガイド
- ・ 学習プラン
  など

TAC合格者の声

祝賀会・東京会場

長山 萌音さん

表面的な理解ではなく、根本から理解をすることができた

「財務・会計」が苦手で1年目に独学で勉強していた際には理解しないまま試験を受けておりました。そこでTACに通学し、わからない箇所を講師の方に聞くことで、表面的な理解ではなく、根本から理解をすることができました。また、講義の中で効率的な勉強方法をご教示いただき、勉強への取り組み方を身につけることができました。TACを選んだ理由は、①生徒数が多く、合格ノウハウが集まっている、②一次試験から二次口述試験までのカリキュラムが組まれているため、試験ごとの情報収集や模試の検討などの手間が省けると感じたからです。

中尾 文哉さん

TACを活用し本来行うべき学習に集中して労力を割く

学習開始が12月上旬だったため、1,000時間の逆算が成り立たず、合格の為に効率を求めたこと、初回の受験で全体像を把握しながら学習ができるガイドラインや合格の為のノウハウを徹底的に仕入れたかったため、TACのWeb通信講座を受講しました。講義動画がリリースされるタイミングや、各科目のまとめテストの「養成答練」の提出期限も含め、すべてTACのノウハウに基づいてスケジュール化されています。その為、進度管理には労力をかけず、TACが敷いてくれた時間軸のレールの上で本来行うべき学習に集中して労力を割くことができました。

中小企業診断士講座のご案内

学習したい科目のみのお申込みができる、学習経験者向けカリキュラム
1次上級単科生(応用+直前編)

- ☐ 必ず押さえておきたい論点や合否の分かれ目となる論点をピックアップ!
- ☐ 実際に問題を解きながら、解法テクニックを身につける!
- ☐ 習得した解法テクニックを実践する答案練習!

カリキュラム ※講義の回数は科目により異なります。

| 1次応用編 2024年10月～2025年4月 | 1次直前編 2025年5月～ | 1次試験【2025年8月】 |

1次上級講義
[財務5回／経済5回／中小3回／その他科目各4回]

講義140分/回

過去の試験傾向を分析し、頻出論点や重要論点を取り上げ、実際に問題を解きながら知識の再確認をするとともに、解法テクニックも身につけていきます。

[使用教材]
1次上級テキスト
(上・下巻)
(デジタル教材付)

➡INPUT⬅

1次上級答練
[各科目1回]

答練60分＋解説80分

1次上級講義で学んだ知識を確認・整理し、習得した解法テクニックを実践する答案練習です。

[使用教材]
1次上級答練

⬅OUTPUT➡

1次完成答練
[各科目2回]

答練60分＋解説80分/回

重要論点を網羅した、TAC厳選の本試験予想問題による答案練習です。

[使用教材]
1次完成答練

⬅OUTPUT➡

1次最終講義
[各科目1回]

講義140分/回

1次対策の最後の総まとめです。法改正などのトピックを交えた最新情報をお伝えします。

[使用教材]
1次最終講義レジュメ

➡INPUT⬅

1次養成答練 [各科目1回] ※講義回数には含まず。
基礎知識の確認を図るための1次試験対策の答案練習です。

(配布のみ・解説講義なし・採点あり)

⬅OUTPUT➡

さらに! 「1次基本単科生」の教材付き!(配付のみ・解説講義なし)

◇基本テキスト (デジタル教材付)
◇講義サポートレジュメ
◇1次養成答練
◇トレーニング
◇1次過去問題集

開講予定月

◎企業経営理論／10月　　◎財務・会計／10月　　◎運営管理／10月　　◎経済学・経済政策／10月
◎経営情報システム／10月　　◎経営法務／11月　　◎中小企業経営・政策／11月

学習メディア

✎ 教室講座　　📱 ビデオブース講座　　🖥 Web通信講座

1科目から申込できます! ※詳細はホームページまたは資料をご請求ください。(右上参照)

本試験を体感できる!実力がわかる!
2025（令和7）年合格目標　公開模試

受験者数の多さが信頼の証。全国最大級の公開模試!

中小企業診断士試験、特に2次試験においては、自分の実力が全体の中で相対的にどの位置にあるのかを把握することが非常に大切です。独学や規模の小さい受験指導校では把握することが非常に困難ですが、TACは違います。規模が大きいTACだからこそ得られる成績結果は極めて信頼性が高く、自分の実力を相対的に把握することができます。

1次公開模試
2024年度受験者数
2,504名

2次公開模試
2024年度受験者数
1,708名

TACだから得られるスケールメリット!

規模が大きいから正確な順位を把握し効率的な学習ができる!

TACの成績は全国19の直営校舎にて講座を展開し、多くの方々に選ばれていますので、受験生全体の成績に近似しており、**本試験に近い成績・順位を把握**することができます。
さらに、他のライバルたちに差をつけられている、自分にとって本当に克服しなければいけない苦手分野を自覚することができ、より効率的かつ効果的な学習計画を立てられます。

はたして今の成績は
良いの?悪いの?

規模の小さい受験指導校で
得られる成績・順位よりも…

この母集団で
今の成績なら大丈夫!

規模の大きい**TAC**なら、
本試験に近い成績が分かる!

実施予定

1次公開模試：2025年6/28（土）・29（日）実施予定
2次公開模試：2025年9/7（日）実施予定

詳しくは公開模試パンフレットまたはTACホームページをご覧ください。

1次公開模試：2025年5月上旬完成予定　2次公開模試：2025年7月上旬完成予定

https://www.tac-school.co.jp/　　TAC　診断士　　検索

TAC出版 書籍のご案内

TAC出版では、資格の学校TAC各講座の定評ある執筆陣による資格試験の参考書をはじめ、資格取得者の開業法や仕事術、実務書、ビジネス書、一般書などを発行しています!

TAC出版の書籍

*一部書籍は、早稲田経営出版のブランドにて刊行しております。

資格・検定試験の受験対策書籍

- ✿ 日商簿記検定
- ✿ 建設業経理士
- ✿ 全経簿記上級
- ✿ 税 理 士
- ✿ 公認会計士
- ✿ 社会保険労務士
- ✿ 中小企業診断士
- ✿ 証券アナリスト

- ✿ ファイナンシャルプランナー(FP)
- ✿ 証券外務員
- ✿ 貸金業務取扱主任者
- ✿ 不動産鑑定士
- ✿ 宅地建物取引士
- ✿ 賃貸不動産経営管理士
- ✿ マンション管理士
- ✿ 管理業務主任者

- ✿ 司法書士
- ✿ 行政書士
- ✿ 司法試験
- ✿ 弁理士
- ✿ 公務員試験(大卒程度・高卒者)
- ✿ 情報処理試験
- ✿ 介護福祉士
- ✿ ケアマネジャー
- ✿ 電験三種 ほか

実務書・ビジネス書

- ✿ 会計実務、税法、税務、経理
- ✿ 総務、労務、人事
- ✿ ビジネススキル、マナー、就職、自己啓発
- ✿ 資格取得者の開業法、仕事術、営業術

一般書・エンタメ書

- ✿ ファッション
- ✿ エッセイ、レシピ
- ✿ スポーツ
- ✿ 旅行ガイド (おとな旅プレミアム/旅コン)

書籍のご購入は

1 全国の書店、大学生協、ネット書店で

2 TAC各校の書籍コーナーで

資格の学校TACの校舎は全国に展開!
校舎のご確認はホームページにて

資格の学校TAC ホームページ
https://www.tac-school.co.jp

3 TAC出版書籍販売サイトで

CYBER TAC出版書籍販売サイト
BOOK STORE

24時間ご注文受付中

TAC出版 で 検索

https://bookstore.tac-school.co.jp/

新刊情報を
いち早くチェック!

たっぷり読める
立ち読み機能

学習お役立ちの
特設ページも充実!

TAC出版書籍販売サイト「サイバーブックストア」では、TAC出版および早稲田経営出版から刊行されている、すべての最新書籍をお取り扱いしています。
また、会員登録(無料)をしていただくことで、会員様限定キャンペーンのほか、送料無料サービス、メールマガジン配信サービス、マイページのご利用など、うれしい特典がたくさん受けられます。

サイバーブックストア会員は、特典がいっぱい!(一部抜粋)

 通常、1万円(税込)未満のご注文につきましては、送料・手数料として500円(全国一律・税込)頂戴しておりますが、1冊から無料となります。

 専用の「マイページ」は、「購入履歴・配送状況の確認」のほか、「ほしいものリスト」や「マイフォルダ」など、便利な機能が満載です。

 メールマガジンでは、キャンペーンやおすすめ書籍、新刊情報のほか、「電子ブック版TACNEWS(ダイジェスト版)」をお届けします。

 書籍の発売を、販売開始当日にメールにてお知らせします。これなら買い忘れの心配もありません。

TAC出版 (2024年2月現在)

受験対策書籍のご案内　TAC出版

1次試験への総仕上げ

科目別 全7巻
- ①企業経営理論
- ②財務・会計
- ③運営管理
- ④経済学・経済政策
- ⑤経営情報システム
- ⑥経営法務
- ⑦中小企業経営・中小企業政策

最速合格のための
第1次試験過去問題集
A5判　12月刊行
● 過去問は本試験攻略の上で、絶対に欠かせないトレーニングツールです。また、出題論点や出題パターンを知ることで、効率的な学習が可能となります。

全2巻
- 1日目
 （経済学・経済政策、財務・会計、企業経営理論、運営管理）
- 2日目
 （経営法務、経営情報システム、中小企業経営・中小企業政策）

最速合格のための
要点整理ポケットブック
B6変形判　1月刊行
● 第1次試験の日程と同じ科目構成の「要点まとめテキスト」です。コンパクトサイズで、いつでもどこでも手軽に確認できます。買ったその日から本試験当日の会場まで、フル活用してください!

2次試験への総仕上げ

最速合格のための
第2次試験過去問題集
B5判　2月刊行

● 問題の読み取りから解答作成の流れを丁寧に解説しています。抜き取り式の解答用紙付きで実践的な演習ができる1冊です。

第2次試験
事例IVの解き方
B5判　**好評発売中**

● テーマ別に基本問題・応用問題・過去問を収載。TAC現役講師による解き方を紹介しているので、自身の解答プロセスの構築に役立ちます。

第2次試験
外さない答案への
攻略ロードマップ
B5判　**好評発売中**

● 演習に加えて、テーマ設定、プロセス確認、出題者の意図の確認、出題者の立場での採点などを行うことにより、2次試験への対応力を高め不合格を回避できる力を身につけることができます。

書籍の正誤に関するご確認とお問合せについて

書籍の記載内容に誤りではないかと思われる箇所がございましたら、以下の手順にてご確認とお問合せをしてくださいますよう、お願い申し上げます。

なお、正誤のお問合せ以外の書籍内容に関する解説および受験指導などは、一切行っておりません。
そのようなお問合せにつきましては、お答えいたしかねますので、あらかじめご了承ください。

1 「Cyber Book Store」にて正誤表を確認する

TAC出版書籍販売サイト「Cyber Book Store」の
トップページ内「正誤表」コーナーにて、正誤表をご確認ください。

CYBER TAC出版書籍販売サイト
BOOK STORE

URL:https://bookstore.tac-school.co.jp/

2 ①の正誤表がない、あるいは正誤表に該当箇所の記載がない
⇒ 下記①、②のどちらかの方法で文書にて問合せをする

★ご注意ください★

お電話でのお問合せは、お受けいたしません。
①、②のどちらの方法でも、お問合せの際には、「お名前」とともに、
「対象の書籍名（○級・第○回対策も含む）およびその版数（第○版・○○年度版など）」
「お問合せ該当箇所の頁数と行数」
「誤りと思われる記載」
「正しいとお考えになる記載とその根拠」
を明記してください。
なお、回答までに1週間前後を要する場合もございます。あらかじめご了承ください。

① ウェブページ「Cyber Book Store」内の「お問合せフォーム」より問合せをする

【お問合せフォームアドレス】

https://bookstore.tac-school.co.jp/inquiry/

② メールにより問合せをする

【メール宛先　TAC出版】

syuppan-h@tac-school.co.jp

※土日祝日はお問合せ対応をおこなっておりません。
※正誤のお問合せ対応は、該当書籍の改訂版刊行月末日までといたします。

乱丁・落丁による交換は、該当書籍の改訂版刊行月末日までといたします。なお、書籍の在庫状況等により、お受けできない場合もございます。
また、各種本試験の実施の延期、中止を理由とした本書の返品はお受けいたしません。返金もいたしかねますので、あらかじめご了承くださいますようお願い申し上げます。

(2022年7月現在)